AS **CARIOCAS**

AS CARIOCAS
SÉRGIO PORTO

Sumário

Prefácio (Aldir Blanc) 7
Prefácio à primeira edição (Jorge Amado) 9
Apresentação à primeira edição (Mário da Silva Brito) 13
A Grã-Fina de Copacabana 15
A Noiva do Catete 35
A Donzela da Televisão 55
A Currada de Madureira 85
A Desquitada da Tijuca 109
A Desinibida do Grajaú 139

Prefácio

Não vejo a menor razão para usar o verbo no passado: Sérgio Porto *é* meu ídolo. O avô português chegava em casa com o *Última Hora*, os livros de bolso e as frutas. Eu roubava o jornal ansiosamente – e não só pelas Certinhas do Lalau. Sérgio Porto, via Stanislaw Ponte Preta – um *alter ego* inspirado em Serafim Ponte Grande, de Oswald de Andrade –, representava, em tempos violentos e caretas da ditadura militar, o risonho escárnio nacional, ainda mais para jovens como eu, com a pontaria meio dispersa, mas dispostos a atirar contra tudo e todos.

Li *As cariocas* pela primeira vez na edição da Civilização Brasileira. Comprei o livro em junho de 1972. Na capa, a silhueta de uma linda carioca saindo do mar. O prefácio do meu livro foi escrito por Jorge Amado. Nele, o bom baiano garante: "O Rio de Janeiro voltou a produzir um grande novelista a somar-se à família que vem de Machado de Assis a Lima Barreto, de Marques Rebelo a Miécio Táti. O **recriador** (*o grifo é meu*) da vida carioca de hoje – dono e senhor de sua língua viva, dos sentimentos, dos dramas, das alegrias, desesperos e tristezas da gente carioca – chama-se Sérgio Porto". E conclui que Sérgio, quem sabe, enfrentaria "os continentes do romance para nos dar o grande romance carioca de nossos dias (...), pois ele carrega consigo a vida do Rio, estuante e lírica, e está destinado a recriá-la".

Sábias palavras. Os contos reunidos no volume são abrangentes e generosos: retratam a Grã-Fina de Copacabana, a Noiva do Catete, a Donzela da Televisão, a Currada de Madureira, a Desquitada da Tijuca, a Desinibida do Grajaú... Todas são merecedoras de atenção, de carinho e de uma... bom, deixa pra lá. Todo mundo sabe que a carioca que faz mais sucesso nas termas do Leblon é natural de Honório Gurgel.

Durante a releitura para perpetrar essas mal-traçadas, bate a saudade. O que diria, hoje, Sérgio Porto, em contos sonhados por seus leitores fiéis, sobre a Estilista da Daspu, a Rival da Surfistinha, o Boquete da Evangélica –

sem esquecer o conto que certamente teria como tema nossa governadora, Rosinha Gigoga, digna esposa da Eminência Marrom, Bum-Bum Garoto?

Sérgio Porto morreu moço, em 30 de setembro de 1968, ano do nefasto AI-5. Diz a lenda que cantou pra subir de tanto trabalhar. De temperamento intensamente boêmio (e aqui urge não confundir boemia com vagabundagem), Sérgio vivia correndo entre a praia, a redação, a tevê, o palco, os bares e as boates. O falecido produtor musical Paulinho Albuquerque me contou uma passagem que ilustra a vida febril de Sérgio. Foi à casa dele combinar alguns detalhes do show que Sérgio faria com o Quarteto em Cy. Sérgio tirou um vidrinho do bolso e disse (rindo, é claro):

— Eu só descanso quando pingo colírio...

Uma pérola pescada em *As cariocas*: "Toda mulher de mau caráter gosta de falar como criança". Mergulhem à vontade. O livro está cheio delas.

As cariocas suscita uma dúvida sublime: afinal, Sérgio Porto inspirou-se nelas ou as cariocas, da minissaia à tanga, da cálida safadeza à luta por liberdade, inspiraram-se em Sérgio Porto?

Aldir Blanc

P.S. Já li e ouvi muita discussão sobre Sérgio Porto e Stanislaw Ponte Preta. Acho a polêmica irrelevante. Os dois formam o humorista seriíssimo que tentou, por meio do riso, botar alguma ordem na esculhambação brasileira. Uma foto do show de 1966, se não me engano, foi publicada no jornal *O Globo*. A pergunta é: aquele sujeito charmoso, rindo com as moças do Quarteto em Cy no palco, é o Sérgio Porto ou o Stanislaw Ponte Preta?

Prefácio à primeira edição

O novelista Sérgio Porto

Um dos fatos importantes de nossa literatura nos últimos anos foi o aparecimento e o sucesso do escritor Sérgio Porto, talvez mais conhecido por Stanislaw Ponte Preta (mais do que um pseudônimo, Stan é personagem e autor, é a outra face de Sérgio). Realmente importante, pois o escritor carioca se impôs de logo como um jovem mestre de seu ofício. Renovou a crônica, gênero que havia atingido surpreendente altura literária, mas que corria o perigo de estiolar-se na grandeza de um Rubem Braga, na invenção de um Fernando Sabino, na graça de um Paulo Mendes Campos. Como ir mais adiante quando esses mestres pareciam haver esgotado o território da crônica? Pois Sérgio Porto, sob sua assinatura e sob a de Stanislaw, conseguiu igualar-se aos maiores sem com nenhum deles parecer, nem dever influência a qualquer que fosse.

A criação da figura de Stanislaw é uma grande façanha literária e resultou da necessidade que teve Sérgio Porto de um instrumento para aplicar seu alto moralismo, para atingir mais fundo com sua crítica à sociedade absurda em que vivemos. Projetou-se o moralista num personagem que é ao mesmo tempo a tese e a antítese, um Dom Quixote de nosso tempo e da cidade do Rio de Janeiro, um Dom Quixote com algo de rabelaisiano e muito de Mark Twain na capacidade de humor, inabitual em nossa literatura, humor que alia à alta qualidade um caráter brasileiro inigualável. Stanislaw cresceu numa família cada vez mais numerosa de uma personalidade e de um pitoresco deliciosos: Tia Zulmira, a sábia anciã; Mirinho, o calhorda completo; o patriota Bonifácio; Rosamundo, o distraído. Cada um deles concorre com sua fisionomia própria para o grande painel da vida carioca que, passo a passo, despretensiosamente, Sérgio Porto vem construindo na criação de Stanislaw e de seu mundo de sátira, de humor, de gozação, de riso alegre e franco, de combate sem quartel a toda sujeira, a toda a indecência, ao vendepatrismo, à reação política, numa das obras literárias mais válidas dos últimos dez anos em nossa pátria. A vasta popularidade da família Ponte Preta e de seu criador, o enorme público nacional que os acompanha nas colunas dos jornais e nos livros de edições repetidas são sinais evidentes de como tem calado fundo no povo a literatura de Sérgio Porto, filha de seu tempo e de seu chão, alimentada pelos acontecimentos diários, solidária com as vitórias e as lutas do povo, arma de combate nos tristes dias políticos de agora, com essa ditadura de meia-sola e seu entreguismo de sola inteira.

Quero me deter, porém, noutro aspecto da criação dos Ponte Pretas: a revelação de um ficcionista a se conter nos limites jornalísticos da crônica. Como sucede com Fernando Sabino. Apenas o mineiro não precisava fazer prova de sua vocação ficcional pois ele veio do romance de sucesso, *O encontro marcado*, para o sucesso da crônica, enquanto Sérgio Porto estreara como cronista e parecia indiferente aos apelos da ficção. Mas que outra coisa são Stanislaw, a Tia Zulmira, Altamirando, Rosamundo, Bonifácio senão criações de fabulosos personagens, e quantas vezes a crônica de Stan ultrapassa as fronteiras do gênero menor para ser deliciosa história, feita de ação e vida? Sempre esperei, numa ansiedade de leitor cotidiano, o desembarque de Sérgio Porto no ancoradouro da criação novelística para onde fatalmente o arrastavam uma indeclinável vocação e o amadurecimento literário.

Há um ano talvez Sérgio deu-me a ler os originais de uma novela, tendo como tema a vida carioca, escrita quase sob encomenda para ser transformada num filme. Desde logo confirmaram-se, à leitura das primeiras páginas, a certeza antiga que eu nutria a propósito das qualidades de novelista do autor da família Ponte Preta. Acontece, porém, que o cronista que enriquecera a língua literária do Rio de Janeiro (e a brasileira, conseqüentemente) com o uso de uma linguagem viva, solta, livre, sentia-se como que tolhido no novo território da ficção onde, naquela primeira experiência, não obtinha a mesma liberdade de expressão nem sequer a mesma força de criação, mantendo-se tímido e por vezes vacilante. Faltava-lhe exercício, domínio do novo instrumento.

Ora, ao ler nestas vésperas de Natal os originais de *As cariocas*, volume no qual Sérgio Porto reuniu algumas novelas cariocas, centralizando-as em figuras femininas mas construindo ao mesmo tempo um quadro, amplo e profundo, da vida carioca dos nossos dias com os seus personagens mais característicos, ao ler esse conjunto de seis novelas, encontro-me com um ficcionista muito distante do tímido de um ano passado. Com que rapidez se apossou ele de seu novo instrumento e como o maneja firme e seguro! O Rio de Janeiro voltou a produzir um grande novelista a somar-se à família que vem de Machado de Assis a Lima Barreto, de Marques Rebelo a Miécio Táti. O recriador da vida carioca de hoje – dono e senhor de sua língua viva, dos sentimentos, dos dramas, das alegrias, desesperos e tristezas da gente carioca – chama-se Sérgio Porto.

Um quadro dramático e poderoso, marcado com uma poesia máscula, uma solidariedade humana e uma ternura funda, eis o livro de Sérgio. Guarda ele uma linha de unidade na concepção e na realização, em sua arquitetura simples, onde não há nenhum truque, nenhum artificialismo, nem a busca do *dernier cri*, tão ao gosto de certos jovens que tentam cobrir com a última novidade sua impotência criadora. Um mundo contraditório e múltiplo, um tempo de terríveis desolações mas também de certos heroísmos anônimos, uma cidade de dor e de solidão mas também de alegre viver e de calor humano, eis o livro de Sérgio Porto. Comovi-me muitas vezes ao ler essas páginas onde uma gente frágil e triste, agoniada e cheia de ânsia de viver, atravessa por entre a mais bela das paisagens em busca de uma esperança, de um porto seguro, de uma paz que parece impossível.

Penso que novos limites, cada vez mais amplos, aguardam Sérgio Porto, pois ainda são estreitas para sua vocação as páginas das novelas. Penso que não tardaremos a vê-lo enfrentando os continentes do romance para nos dar o grande romance carioca dos nossos dias, ainda por escrever. E quem poderá fazê-lo melhor do que o filho de dona Dulce, nascido nesse asfalto e nele posto a trabalhar? Creio que só uma coisa falta a Sérgio Porto para realizar essa grande e nobre tarefa: tempo, já que esse escritor excepcional, sendo um bom trabalhador carioca, gasta seu tempo em programas de televisão e outras coisas iguais. Mas não nos enganemos, pois ele carrega consigo a vida do Rio, estuante e lírica, e está destinado a recriá-la.

Jorge Amado (1967)

Apresentação à primeira edição

Sérgio Porto &/ou Stanislaw Ponte Preta – peritos em mulher

Há escritores que adotam um pseudônimo e por ele são tragados. Viram outra pessoa. Esse o caso, por exemplo, de Marques Rebelo. Quase ninguém sabe quem é Eddy Dias da Cruz, nome que recebeu na clássica pia batismal e que foi totalmente eclipsado por aquele com que ingressou na vida literária.

Sérgio Porto, porém, conseguiu sobreviver como nome e como pseudônimo. Um não derrogou o outro. Praticam ambos harmoniosa coexistência pacífica. São duas pessoas numa só e, o que é importante, no plano da atividade intelectual, dotadas do mesmo talento, a mesma graça pícara e esfuziante, imprevista e lépida.

Na qualidade de Stanislaw Ponte Preta, Sérgio Porto trouxe para as letras – especialmente para a crônica e o humorismo – a contribuição nova dos tipos que criou e da linguagem que inventou, à qual deu um boleio personalíssimo, um *touch* de originalidade e até certa magia iluminadora.

Primo Altamirando, Tia Zulmira, Rosamundo, ao lado de outras personalidades que tirou do nada – do nada não, mas da sua fértil imaginação –, existem, têm presença de gente de carne e osso, sangue e nervos, corpo e alma. São mesmo mais gente do que muito vivente pela aí... Essas personagens de Stanislaw, embora criaturas de ficção, povo que só trafega no papel e em letra de forma, adquiriram tal vitalidade, tal relevo, que acabaram aumentando o registro civil, como já se disse, tantas vezes, do populoso universo de Balzac, que criou uma humanidade dentro da humanidade.

Quanto à linguagem, rica é a contribuição do cronista no sentido de aproveitar e transfigurar artisticamente o saboroso coloquial brasileiro e, especialmente, carioca. Não somente soube captar a língua falada e transpô-la para o plano literário, mas dar-lhe também novas cores e formas. Muito dito, ou expressão, ou frase, que hoje percorre este Brasil repleto de diferenciações, brotou da bossa inventiva de Sérgio Porto &/ou Stanislaw

Ponte Preta. Pensa-se que a novidade é do povo, vai-se ver – é do escritor. Mas o povo as adotou, incorporou-as ao seu estilo de comunicação e, portanto, de vida.

Toda essa riqueza criadora vem agora sabiamente aproveitada nas seis histórias que, sob o título de *As cariocas*, compõem esta coletânea. Nestas novelas ou noveletas perduram e crescem os valores artísticos, estilísticos e humanos que caracterizam a já importante obra literária do famoso cronista do Rio de Janeiro.

Sérgio Porto, homem de múltiplas atividades, *full-time* no jornalismo, na crônica, no humorismo, na televisão, no show, gosta de renovar-se. Qualquer um sabia que, mais hoje mais amanhã, buscaria forma mais complexa de realizar-se literariamente. Chegou a hora e a vez dessa revelação: está aqui neste livro – *As cariocas*.

Sexteto repleto de graça, de calor humano, de vivência popular, de conhecimento profundo de uma cidade e de sua gente, *As cariocas* traça seis inesquecíveis perfis de mulher – de Copacabana ao Grajaú, do Catete a Madureira, do ajuntamento heterogêneo e difuso da Televisão (bairro à parte em qualquer *urbs*) ao território muito definido da Tijuca. Revelam o intrincado comportamento feminino – malicioso ou solerte, sedutor ou envolvente, arisco ou astucioso, franco ou esquivo (que muitas são as sutis nuances que assumem as artimanhas do belo sexo) – inserido no contexto dos enredos, situações e episódios que retratam o espírito e a paisagem urbana, humana e social do Rio de Janeiro.

Enfim, são seis histórias de certinhas com que Sérgio Porto &/ou Stanislaw Ponte Preta fixam um dado momento da vida carioca e interpretam a psicologia da componente mais bela deste Rio feito de belezas – a mulher, em que ambos são peritos.

Mário da Silva Brito (1967)

A Grã-Fina de Copacabana

1

Sarita olhava distraída o trânsito colorido que descia pela Avenida N. Sra. de Copacabana. Aquele rio de carros que corria em direção ao centro da cidade e ali engrossava depois de receber todos os seus afluentes, os carros que vinham do Leblon, via Posto 6, os que vinham de Ipanema, via Lagoa, os que vinham do Bairro Peixoto e das muitas ruas transversais. Acendeu um cigarro já impaciente e continuou na janela. Estava no oitavo andar de um edifício do Lido, onde o eminente Dr. Teódulo de Carvalho tinha o seu consultório e sua clínica; uma clínica muito bem montada para padronizar os narizes de moças ricas que tinham em seus respectivos apêndices nasais o centro de seus complexos, ou para esticar as pelancas de velhotas ociosas para as quais a velhice era um fantasma constante, muito mais constante durante o dia, quando suas rugas eram mais evidentes, do que durante a noite, quando costumam ser mais constantes os fantasmas de um modo geral. Em suma: o Dr. Teódulo de Carvalho era um afamado cirurgião plástico que enriquecera e envelhecera explorando a vaidade das grã-finas do *café society*, tornando-se um desses médicos que consideram o consultório a coisa mais importante da Medicina.

Seu consultório era no quarto andar e sua *garçonnière* no oitavo. Sarita estava no oitavo andar, justamente na *garçonnière* do Dr. Teódulo, porque Sarita era amante dele e muito mais gente do que ela imaginava – como é comum nesses casos – sabia disso. E Sarita estava impaciente porque Téo não chegava. Marcaram às 2h e ficariam apenas uma hora, pois ele desceria às 3, como de hábito, para a primeira consulta. Já eram 2 e 15 – confirmou ela olhando o seu reloginho de platina e brilhantes – e nada dele chegar.

Foi aí que Sarita viu um carro se destacar no meio dos outros e parar bem em frente ao prédio onde ela se encontrava. "Era um modelo Fiat especial de carroceria moderna, uma gracinha de carro", ela pensou, porque, além de entender de carros, Sarita era tarada por carros esporte.

Súbito, Sarita estranhou! Mas era ele, o Dr. Teódulo, que descia do carro. Retirou os óculos escuros para ver melhor e logo seus olhos se fecharam contra a claridade, mas Sarita forçou a vista, seus olhos foram se abrindo aos poucos para confirmar não somente a presença de Téo junto ao carro como também a de Zizi, na direção. Sarita ficou mais abismada ainda. Zizi – Zilda de Carvalho – era a mulher dele e os dois se falavam e ela sorria. Téo estava na calçada e dizia qualquer coisa à mulher. Ela respondeu, fez uma aceno com a mão, o carro movimentou-se e vagou outra vez pelo caudaloso rio que, logo adiante, pegaria seu último afluente, vindo do Leme, e se espremeria dentro dos túneis, fiel ao seu leito – coisa que Sarita jamais fora – para escoar-se como sempre na Esplanada do Castelo.

O Dr. Teódulo virou-se e entrou no prédio. Sarita virou-se e entrou no quarto, colocando os óculos escuros sobre um móvel e olhando-se no espelho, onde ajeitou a pintura com a ponta do dedo médio da mão direita. Parou, olhou-se mais atentamente no espelho. Estava linda!

Sentou-se na beira da cama, fuzilando de raiva, para esperar a chegada do amante.

Barulho de chaves na fechadura, a porta abriu-se e o eminente Dr. Teódulo de Carvalho entrou esbaforido:

– Minha querida, desculpe... eu tive um almoço...

– Divertiu-se muito com ela?

– Ela quem? – espantou-se ele, enquanto colocava o paletó no espaldar de uma cadeira e começava a afrouxar o laço da gravata.

– Sua mulher! Você pensa que eu não vi vocês dois chegando juntos lá embaixo?

– Mas Sarita, a Zizi ia ajudar na preparação do chá da ABBR hoje, no Copa...

– Ora, Téo... Francamente, você me deixa plantada aqui horas e quando chega vem todo sorridente com sua mulher. Às vezes eu penso que você preferia trocar...

– Está calor aqui – disse ele, já nu da cintura para cima. Fechou a guilhotina da janela onde estivera Sarita espiando, e ligou a refrigeração.

– ...talvez você preferisse ser casado comigo e ter a Zizi como amante.

Ele abraçou-a pela cintura e tentou desabotoar seu vestido por trás do ousado decote das costas, enquanto falava carinhosamente:

– Denguinho, deixa de coisa. Ela só me trouxe aqui. Você sabe que meu carro está na oficina. Ela me trouxe no dela.

Sarita esquivou-se, quando ele falou no carro dela.

— Carro novo, não é?

— É... realmente o carro...

Mas Sarita não o deixou terminar:

— E você tinha me prometido um carro, não tinha? Deu pra mim? Não, deu pra ela.

— Mas foi ela que comprou!

— E foi você que pagou — arrematou ela, em cima do argumento dele.

Téo estava sentado na beira da cama, tirando os sapatos. Como todo grã-fino que se preza, cuidava-se. Seu corpo era queimado de sol, ele fazia massagem regularmente, tomava sauna. Nos seus quarenta e poucos anos, era um homem enxuto. Estava decidido a não brigar:

— Você está com ciúmes dela ou do carro — levantou-se e abraçou-a outra vez. Segurou-lhe o queixo e virou-lhe o rosto em direção a seu olhar:

— Hem?

— Dos dois — respondeu Sarita, mais calma.

— Dela não precisa ter ciúmes, Denguinho. Ela é que devia ter ciúmes de você...

Sarita envolveu o pescoço dele num abraço:

— Mas ela ganhou um carro, né? — sua voz agora era infantil.

Téo puxou-a para junto da cama, onde sentou-se com ela no colo:

— Denguinho, aquele carro custa muito caro. Não é pelo dinheiro, você sabe. Mas eu não poderia dar um carro daqueles para você. Como é que você explicaria a Eduardo?

Enquanto os dois se beijavam longamente, explicamos que Eduardo era o marido de Sarita, também grã-fino, também freqüentador das mesmas rodas que Téo freqüentava, mas que não era tão rico como Téo. Apenas um dos muitos freqüentadores dessas rodas, vivendo de comissões, hoje ganhando muito dinheiro aqui para poder cobrir as dívidas ali, num trapézio constante para agüentar um padrão de vida que não era o seu.

O médico conseguira afinal desprender o vestido da amante e ela saltou de dentro dele só de calcinhas e sutiã, levantando-se do colo de Téo para entrar no banheiro anexo ao quarto. De lá falava para ele escutar:

— E se eu arrumasse um jeito para tapear o Edu, você me daria um carro igual ao da Zizi?

Téo levantara-se, colocara o vestido dela esticado sobre um móvel e tirava as calças, ficando apenas com a sunga de *nylon*. Respondeu evasivamente:

— Mas, meu bem, aquele carro não é de série. Deve ser o único existente no Brasil.

— É o que você pensa — Sarita apareceu na porta do banheiro, enrolada numa toalha estampada. — Eu sei quem tem um igualzinho.

— Quem?

— Cid.

— Que Cid? — intrigou-se Téo, mas puxando-a para a cama, enquanto ela explicava quem era Cid. Um *playboy* de São Paulo que agora estava morando no Rio, aquele que no aniversário da Betty tomara o maior pifa e caíra na piscina com *smoking* e tudo.

— Você se lembra — e Sarita levantou o busto, fincou o cotovelo na cama e ficou semi-recostada, olhando para Téo.

Ele fingia estar mais interessado nela do que no tal de Cid. Puxou-a outra vez para junto de si e beijou-a na boca. Terminado o beijo, Sarita voltou à carga:

— A irmã do Cid é minha amiga. Também está morando no Rio, casou-se com um engenheiro da SURSAN. Ela foi tomar um chá comigo noutro dia. Disse que a família do Cid está muito preocupada com ele. O pai está querendo cortar a mesada, porque ele é um gastador. Ele é noivo em São Paulo e vai casar em breve. Deve estar precisando de dinheiro, não acha?

— Hum-hum — gemeu Téo.

— Então! É capaz de vender o carro. Aí você compra pra mim e eu dou um jeito de dobrar o Edu, tá?

— Tá.

E Téo desenrolou a toalha que envolvia Sarita, abraçou-a e — nessa tarde — não se falou mais nisso. Nem era assunto para ser debatido enquanto eles faziam o que fizeram.

Com franqueza, nenhum assunto cabe, em tais momentos.

2

Cid Assunção de Almeida orgulhava-se de pouca coisa na vida. Orgulhava-se, por exemplo, de sua família ser uma das mais tradicionais de São Paulo, incluída entre aquelas que se dizem de 400 anos. Era engraçado: Cid orgulhava-se do fato, mas não se orgulhava da família, que vivia a chateá-lo para voltar para São Paulo, casar com sua noiva, que também era quatrocentona:

— Nosso casamento, pela matemática, seria de 800 anos — dissera Cid uma vez, irreverentemente, quando sua mãe, pela milésima vez o catequizava a voltar a morar no casarão da Avenida Paulista e trabalhar numa das fábricas do pai, homem abastado e prepotente. Contra a primeira faceta Cid não tinha nada, mas fora a prepotência do pai que o fizera trocar São Paulo pelo Rio.

Sentado numa das mesinhas que contornam a piscina do Copacabana Palace, tomava um *biter* Campari, enquanto aguardava a chegada de Sarita. Entre as poucas coisas de que se orgulhava incluía-se também a sua beleza física. Considerava-se irresistível às mulheres e não se surpreendera muito com o telefonema de Sarita.

"Ela já vinha me dando bola há muito tempo", pensou.

Olhou novamente para a porta de vidro que dava entrada para a pérgula do hotel. Ela teria fatalmente de passar por ali, a não ser que entrasse pelo edifício anexo, atravessando o salão verde. Mas não, ela acabava de entrar na pérgula, caminhava para o lado da piscina. Cid levantou-se e agitou um braço. Sarita notou logo o aceno, sorriu e caminhou até sua mesa.

— Olá! — saudou o rapaz, apertando-lhe a mão e depois fazendo uma reverência como se fosse beijá-la.

— Olá — respondeu Sarita, sentando-se na cadeira que ele ajeitou para ela.

— Você quer tomar alguma coisa?

— Não, obrigada. Eu não vou demorar... Você deve ter estranhado eu ter telefonado, não?

— Por quê? Por acaso eu não mereço o telefonema de uma mulher bonita?

Sarita sorriu, satisfeita: — Eu, na verdade, queria lhe propor um negócio e...

— Tá fechado — respondeu Cid de pronto, rindo também.

— ...espera, rapaz, que homem nervoso!

— Não vai me dizer que sou o primeiro que fica nervoso ao seu lado.

— Oh! Todos ficam nervosíssimos! — exclamou Sarita, revirando os olhos, exagerando de propósito. Fez uma pausa e falou no carro: — Trata-se do seu carro.

— Meu carro?

— Ele mesmo. Você quer vendê-lo?

— Bem, eu não tinha pensado nisto. Você sabe, é um modelo especial. Só existem dois aqui no Rio.

— Eu sei. O outro é da Zizi de Carvalho.

— Isto mesmo. É um carro muito caro.

— Eu não perguntei quanto custa, eu perguntei se você quer vender.

— Talvez! Mas quem lhe disse que eu queria vender?

— Ninguém. Ou melhor, Tininha é muito minha amiga, me disse que você está noivo, que vai casar-se em São Paulo, que seu pai anda meio chateado com a vida que você leva aqui...

— Minha irmã, hem? No mínimo ela disse que meu pai botou a Interpol para me seguir.

— Nem tanto. Mas ela também acha que você já está em idade de parar de gastar e começar a produzir.

— E você?

— Eu não acho nada — respondeu Sarita, dando de ombros.

— Não nego que em tudo haja um pouco de verdade: eu estou noivo, devo me casar, devo reassumir a direção de uma das fábricas do velho...

— Você não pretende voltar para São Paulo?

— Sei lá! Atualmente eu só vou a São Paulo para arranjar aval para as promissórias.

— Você não visita nem sua noiva?

— Estou brincando — e Cid sorriu com franqueza: — Claro que visito e claro que preciso mudar de vida. O que eu estou é alongando um pouquinho mais as minhas despedidas de solteiro.

— E o carro? — insistiu ela.

— Está aí fora. Vamos dar uma volta? — e antes que ela respondesse, gritou para um garçom que passava: — A minha nota, por favor!

— Você está louco? — retraiu-se Sarita: — Eu não posso ser vista com você passeando de automóvel.

— Ora, eu suspendo a capota — e Cid levantou-se, deixou dinheiro em cima da mesa: — Isto dá para pagar este xarope — depois puxou-a pelo braço e caminhou para a porta de vidro da pérgula. Sarita deixou-se levar.

"O carro é uma gracinha", pensava ela, enquanto ele, num instante, fechou a capota, abriu a porta e fez sinal para que ela entrasse. Ela obedeceu e o carro saiu em disparada pela Avenida Atlântica.

Corria muito o carro de Cid e seu dono ainda corria mais. Nem meia hora havia-se passado, e quem transitasse pela Avenida Niemeyer e fosse bisbilhoteiro poderia ver o mesmo carro parado numa das ilhas de retorno, com Cid lá dentro abraçando Sarita, num beijo caprichadíssimo. Quando suas bocas se separaram, Sarita deu um suspiro e disse baixinho:

— Você é de morte!

— Eu sou é de vida. Tão vivo que vou perguntar mais uma vez: vamos lá?

— Onde?

— Em casa, ué!

— Hoje não posso.

— E amanhã?

— Você vende o carro?

— Você vai? Se eu vender?

— Hum hum...

— Então hum hum também — e beijou-a de novo.

— Que é que você quer dizer com hum hum? — perguntou Sarita, mal o beijo acabou.

— Quero dizer que vendo.

— Ótimo! — exclamou ela, animando-se. Ajeitou-se no banco, virou o espelhinho do carro em sua direção, endireitando os cabelos. Depois pediu: — Vamos embora, eu não posso ficar mais.

— Onde é que você quer ficar? — perguntou ele, resignado.

— São quase duas. Me deixa no Lido.

— *Okay* — e o carro saiu outra vez roncando.

Enquanto descem a Avenida Niemeyer de volta, Cid quis saber quem pagaria o carro. Sarita pediu-lhe que não fosse indiscreto, mas como ele ponderasse que, mais cedo ou mais tarde, se fizesse o negócio, iria saber, ela contou:

— Mas é lógico que você vai fazer o negócio. Quem vai comprar o carro é o Edu, entende?

— Não. Seu marido não tem dinheiro para comprar um carro destes.

— Escute... Você vai vender a ele por um preço "X". Eu vou insistir, dizendo que você está vendendo baratíssimo. Digamos uns oito milhões, por aí...

— Oito milhões??? Por este carro???

— Calma, homem. Você vende a ele por oito milhões. Acertam tudo e você marca para ele ir buscar os papéis no dia seguinte. Antes disso Téo lhe paga a diferença.

— Téo? O Dr. Teódulo? Mas ele já tem um carro igualzinho.

— Ele não. A mulher. Este ele vai comprar pra mim.

— Quer dizer que... vocês dois... bem que tinham me dito.

— Não pense no que lhe disseram e sim no que lhe digo. Você quer 20 milhões pelo carro. Vende ao Edu por oito e antes de entregar os papéis a ele o Téo lhe dá os 12 de diferença. De acordo?

— De acordo desde que você entre em acordo comigo.

E os dois se apertaram as mãos rindo. Pouco depois Cid deixava Sarita em frente ao prédio onde o eminente Dr. Teódulo de Carvalho tinha consultório, tinha clínica e tinha *garçonnière*.

3

Entre um beijo e outro Sarita ia trançando a sua rede para pescar o Fiat especial modelo esporte. Portanto, vamos abreviar esta história para que Sarita não fique de lábios inchados de tanto beijar.

Ela saiu do carro de Cid, entrou pela portaria correndo e tomou o elevador, apertando o botão do oitavo andar. Estava atrasada e Téo já devia estar esperando há muito tempo.

Barulho de chave na fechadura, a porta abriu-se e Sarita entrou. Téo estava sentado na beira da cama, na mesma posição que ela estava na véspera e então ela lembrou-se da briga e correu para ele:

— Meu Denguinho, desculpe! — e abraçou-o, fazendo-o rolar para a cama.

— Mas eu já ia descer para o consultório!

Sarita não deixou que ele argumentasse e foi logo contando a novidade:

— O carro é nosso! (Ela ia dizer "O carro é meu".)
— Que carro?
— O do Cid, meu bem. Eu tive um plano infernal.
— Mas vem cá, você encontrou-se com esse Cid?
— Ora, Denguinho. É óbvio que não. Eu já não disse que a irmã dele é minha amiga, olha... eu sondei ela e ela acabou me prometendo que Cid me venderia o carro. Aí, sabe?... aí, aí — Sarita começou a falar como criança. Coisa engraçada isto: toda mulher de mau caráter gosta de falar como criança.

— ...aí a Tininha me ligou... é a irmã do rapaz que tem o carro. Ela me ligou e falou pra sua Denguinha que ele vende o carro. — E voltando à voz normal: — É baratíssimo. Vinte milhões só.

— Só? — repetiu ele com cara desconsolada.
— Só!
— Mas você enlouqueceu? Como é que você vai explicar ao Eduardo que comprou um carro de 20 milhões?
— Já combinei com Tininha. Ela é minha amiga íntima. Eu converso com o Edu, digo que soube por ela que o irmão quer vender o carro baratíssimo, insisto que é uma bagatela, coisa de oito milhões... oito milhões o Edu arranja que eu sei... Aí ele vai procurar o Cid e o Cid já está avisado. Entrega o carro a ele por oito milhões. Em seguida você vai lá e cobre a diferença.

O Dr. Teódulo ficou calado e pensativo alguns segundos; depois começou a rir:

— O imbecil do seu marido — disse, e continuou a rir.

— Que é, Denguinho?

— Ele vai pensar que fez um grande negócio, comprar um carro daqueles por oito milhões. O idiota vai se sentir o mais malandro dos homens — e veio-lhe uma risada franca.

Sarita riu também, embora sem tanta vontade: — Não é um plano ótimo?

Téo afirmava que sim com a cabeça e quando ela perguntou se ele topava, como Téo ainda risse baixinho, continuou a balançar a cabeça, concordando.

— Oh, Denguinho, você é meu, meu, meu — e Sarita espalhava beijinhos pelo rosto do amante, até lhe agarrar a cabeça e juntar sua boca à dele, num longo beijo, misto de regozijo e agradecimento.

Sarita desprendeu-se do beijo e falou:

— Por favor, meu bem, eu tenho de ir!

— Mas você está aqui há apenas uma hora — reclamou Cid.

— Pois é, meu bem. Mas eu saí só para dar um mergulho. Meu marido vai almoçar em casa... — Sarita ia dando as desculpas e se embrulhando no lençol. Quando sentiu sua nudez protegida, levantou-se rapidamente e entrou no banheiro. Pela porta entreaberta continuou falando, enquanto ele deixava-se ficar na cama, recostado nos travesseiros, depois de acender um cigarro.

— Eu não sabia que seu apartamento era tão longe — gritou ela lá de dentro.

— Longe? O Flamengo é longe?

— Bem, eu pensei que você morasse lá perto de casa. Ali mesmo em Copacabana. Ou em Ipanema, sei lá.

Cid tinha amassado o cigarro num cinzeiro, levantado da cama e punha a cabeça pelo vão da porta do banheiro. Sarita deu um gritinho:

— Mal-educado, chato! — ralhou ela de brincadeira.

Sem tirar a cabeça do vão da porta, Cid falou baixinho:

— Para vir de Copacabana até aqui e demorar um minuto só, eu concordo que é longe.

— Mas, meu bem... você não entende. Eu saí para dar um mergulho. Disse ao Edu que ia ali mesmo, em frente de casa. Saí, telefonei pra você e já estou aqui há uma hora. E se ele desconfiar? Aí mesmo é que é pior, eu não vou poder vir mais.

— Nem eu vou poder vender o carro a ele — ponderou Cid, imitando a voz dela.

— Não brinca não — Sarita saiu do banheiro de biquíni. O mesmo que ela vestira "para dar um mergulho ali em frente" e dirigiu-se à cômoda onde deixara o chapéu de praia: — Você não vai fazer nenhuma trapalhada, pelo amor de Deus — pediu, enquanto ajeitava o chapéu na cabeça, diante do espelho: — Já sabe. Meu marido virá na hora que eu lhe disser depois, pelo telefone. Você vende o carro a ele por oito e promete entregar os papéis no dia seguinte, para sua garantia. Depois o Téo passa aqui para pagar os outros 12. Qualquer pergunta do Téo, já sabe. Você mal me conhece. O negócio foi todo combinado com sua irmã, tá?

— Tá — concordou Cid: — É a quinta vez que a gente combina isto.

— É para não dar nada errado, benzinho — disse Sarita. Deu-lhe um beijinho rápido e vestiu a saída-de-praia: — Agora me leva. Estou atrasadíssima.

Cid, que já estava de calças, enfiou os pés numa sandália e apanhou uma camisa esporte, dessas de enfiar pela cabeça. Enquanto a vestia, quis saber: — E quando é que você volta aqui?

— Com carro vai ser mais fácil. E o Edu, você sabe, está sempre indo e vindo de São Paulo, a negócios. Tempo é que não vai nos faltar.

Pouco depois os dois corriam pelo asfalto da Rua São Clemente. Sarita olhava as casas de grandes jardins da velha rua de Botafogo:

— Esta rua tem casas lindas, não é? Parece um pouco com a Avenida Paulista.

— Lá tem mais rico dentro das casas — disse Cid, no justo momento em que o carro furava um pneu: — Merda! — exclamou o rapaz, manobrando e encostando no meio-fio.

— Ah, meu Deus, mais esta — queixou-se ela.

Mas Cid pensava com rapidez: — Tire o casaco — ordenou.

— Eu?

— Claro: você. Tire o casaco e fique só de biquíni. Eu abro o capô do carro e você fica de biquíni na beira da calçada, olhando desconsolada para o pneu, tá?

Os dois saíram do carro, ela já sem a saída-de-praia. Ele abriu o capô.

— Aonde é que você vai? — perguntou ela.

— Vou ali — e apontou: — tomar uma cerveja naquele boteco. Está muito calor para mudar pneu.

— Mas...

— Não se incomode. Já já aparece um bonzinho pra mudar.

Cid foi para o bar, sentou-se e pediu uma cerveja. Enquanto bebia, observava. Um senhor cavalheiresco cumprimentou Sarita e apontou o pneu. Ela mexia com a cabeça, concordando. O senhor tirou o paletó e já o rapaz de um Volkswagen parava e perguntava se ela queria ajuda. Saltou e tirou as ferramentas da mala. Outro Volkswagen parou também. Eram dois homens. Saíram para ajudar. Quando acabou de virar o primeiro copo, Cid contou: agora eram seis homens mudando um pneu só. Parecia um box de carro de corrida. Num instante o serviço ficou pronto. Ele não teve tempo nem de acabar a cerveja. Atirou uma nota em cima da mesa e saiu. O senhor que aparecera em primeiro lugar fechava o capô e Sarita vestia de novo o casaco e abria a porta para entrar no carro. Todos os homens em volta sorriam dos agradecimentos dela e nem repararam a aproximação de Cid. Ele abriu a porta ao lado do volante e gritou:

— Obrigado, amigos! — e saiu com o carro em disparada, com Sarita às gargalhadas ao seu lado.

Só pararam a um quarteirão do prédio onde ela morava, na Avenida Atlântica:

— Você é um louco, aqui estamos muito perto de casa.

— Diz logo quando vai voltar lá em casa, senão eu entro na garagem do seu edifício.

— Não — ela protestou, despreocupada: — Deixa de fazer charme. Já disse que o Edu vai a São Paulo ainda esta semana. Antes disso ele compra o carro, depois disso ele vai a São Paulo... compreende?

— Compreendo. Tchau... me dá um beijo — e sem que ela pudesse se esquivar, Cid prendeu-lhe a boca para mais um beijo.

Sarita descolou a boca dos lábios do marido e, botando as mãos em seus ombros, esticou os braços e deixou-se pender para trás, seu corpo preso ao dele pelo abraço apertado que ele lhe dava na cintura.

— Não é barbadíssima? — ela insistiu.

— Pelo preço, claro que é. Mas eu duvido muito que aquele imbecil venda um carro daqueles só por oito milhões.

— Mas ele não vende por oito milhões, querido. Ele vende por muito mais se esperar uns dias. A Tininha me falou que ele está abafadíssimo. Precisa do dinheiro já, por isso é que é barbada. Amanhã ele encontra quem dê mais...

— É — concordou o marido, largando-a e sentando no braço de uma poltrona.

— Por favor, meu Tiquinho (e já voltava a voz infantil que Sarita usava para persuadir os homens)... por favor. Você tem os oito milhões. Vá para a cidade e me telefone às 3. Eu vou ligar agora mesmo para Tininha, dizendo para combinar com o irmão. Ele vai ficar esperando você em casa. Eu garanto... digo que você vai lá, digamos às 4 horas. Assim a gente não dá tempo a ele para pensar.

— Tá bom. Se você acha mesmo que ele vende...

— Oh, que maridinho lindo! — e Sarita pôs-se a beijocar o marido tal como beijocara o Dr. Teódulo, a dizer carinhosamente: Meu, meu, meu...

4

Sarita, na sua ânsia de ter o carro, não andou calculando direito os horários ou talvez não tivesse contado com um atraso qualquer nas transações iniciais. O certo é que, por um triz, o Dr. Teódulo de Carvalho encontrava-se com o Sr. Eduardo Dantas na portaria do prédio onde morava o Sr. Cid de Almeida e isto iria complicar tudo. Complicar tudo ou não complicar nada, que essas embrulhadas armadas por gente grã-fina terminam sempre de maneira imprevisível.

Mas foi mesmo espaço de um minuto, se tanto. Todos os personagens desta história estavam muito nervosos, nesse dia, querendo resolver as coisas logo de uma vez, por causa do elegante jantar que oferecia Mme. Amélia Caldas, presidente da CAMUDE, Campanha da Mulher Democrata, uma associação que misturava um pouco a distribuição de leite em pó para crianças recém-nascidas com a confecção de roupinhas para o Natal e a salvação do País. Era o cúmulo da elegância pertencer à CAMUDE e colaborar nas suas campanhas que iam da organização de shows com renda total para crianças excepcionais até as manifestações públicas de repúdio ou aplauso aos atos governamentais.

D. Amélia Caldas, dama de muitas posses e poucos afazeres, criara a associação para se divertir e acabara transformando-a sem querer num verdadeiro partido político, intransigente e vigilante, em defesa de tudo aquilo que a boa-fé de muitas das senhoras associadas acreditavam ser a Justiça Social. As festas de D. Amélia Caldas eram – como classificara Sarita na véspera, quando convencia suas amigas a comparecerem – "a coisa mais elegantérrima do mundo".

Sim, o nervosismo que antecedia tão importante evento social deixava todos meio aéreos com o pensamento voltado apenas para o que aconteceria com cada um, na festa. Zizi, esposa do Dr. Teódulo, ia estrear um modelo de Dior exclusivo, modelo que ela trouxera de Paris justamente para uma festa como essa da Amelinha. O marido pagara, mas o plano dele era outro; era se mostrar com Sarita, na certa a cortejá-lo todo o tempo, depois de ganhar o carro. Para Cid aquele festão era bom para "ver a safra disponível" – para sermos mais verdadeiros e usarmos uma expressão do próprio, sempre que ia a recepções onde desfilavam pelos salões as senhoras elegantes. Para Eduardo aquilo significava bons contatos financeiros e para Sarita... ora, Sarita só queria o carro e, se pudesse, iria até o *buffet* de Mme. Caldas dirigindo o seu Fiat especial modelo esporte.

Toda essa expectativa ia quase pondo frente a frente, comprando o mesmo carro, o eminente Dr. Teódulo de Carvalho e o Sr. Eduardo Dantas. Quem tivesse se postado em frente ao prédio onde morava Cid teria visto Edu chegar no seu modesto carro nacional e parado bem rente ao meio-fio. Saltara, trancara o carro cuidadosamente e entrara. O que aconteceu no apartamento de Cid não saberia, é lógico, embora o que deve ter acontecido foi aquilo que Sarita planejou. Edu deve ter chegado, anunciado seu nome, ser recebido com cortesia e logo entrado no assunto. Depois, entregado o cheque de oito milhões e prometido voltar mais tarde para apanhar o carro.

Sim, deve ter acontecido isso, pois era o que estava combinado. E depois Edu desceu. No mesmo instante em que saía da sombra da portaria para o sol da calçada, encostou um luxuoso Mercedes Benz atrás de seu carro. Edu devia estar pensando no excelente negócio que fizera com aquele desconhecido, aquele bêbado grã-fino que se encalacrara nos bancos e vendia por preço tão baixo um carro tão alinhado; porque nem reparou no carro que manobrava atrás do seu. O chofer fardado desceu pressuroso e abriu a porta, mas Téo não desceu logo. De cabeça baixa apalpou os bolsos do paletó para se certificar de que trazia seu talão de cheques. Só então desceu para a calçada, enquanto Edu engrenava o carro da frente e ganhava velocidade, afastando-se do local.

Por um triz, portanto, como ficou dito.

O Dr. Teódulo disse qualquer coisa ao motorista e este assentiu num movimento de cabeça; depois entrou no prédio com um andar muito digno e sumiu. Provavelmente foi tão bem recebido quanto o fora o seu antecessor. Cid era bastante vivo para não tocar no assunto. Disse, com certeza, que sua irmã já lhe explicara do que se tratava: uma surpresa para um amigo, naturalmente. O Dr. Teódulo teria sorrido discretamente, enchera o cheque e entregara ao dono da casa. Não, Cid por certo não teria dito que os dois quase se haviam encontrado ali, na sua sala. Bastava olhar para o seu visitante para perceber que tal encontro não houvera. Recebera o cheque, agradecera e pronto, estava tudo liqüidado.

Quando o Dr. Teódulo apareceu outra vez na portaria, o chofer solícito saiu novamente do carro, abriu a porta com uma reverência, fechando-a suavemente após a passagem do patrão. Rodeou o Mercedes Benz por trás e também embarcou no luxuoso automóvel, que logo seguia na mesma direção sul que tomara o carro modesto de Edu.

Quem tivesse se postado em frente ao prédio onde morava Cid teria notado todos esses detalhes e teria imaginado como tudo devia ter acontecido.

Isto, naturalmente, se esse observador soubesse de tudo, mas só quem sabia era, recapitulando: Sarita, é claro, Cid e Téo.

Então, se tudo saíra como ficara combinado, se cada um cumpriu o papel que lhe fora designado, até mesmo Eduardo, único personagem que não conhecia toda a história, por que seria que Sarita não recebeu o carro? É, Sarita não recebeu o carro. Chegou na festa da elegante senhora Amélia Caldas mal contendo o seu ódio contra Cid – o traidor.

5

Os salões de D. Amélia Caldas – presidente da CAMUDE – regurgitavam! O cronista mundano mais imbecil do País e, por isso mesmo, o mais cultivado pelos grã-finos, já tinha dado à ilustre anfitriã o título de *hostess nº 1* do ano. A "honra" levou Amelinha ao capricho. Era um festão!

Duas orquestras tocavam música suave, para dançar. Uma no salão principal, ao lado da sala de jantar onde se armara o imenso *buffet*, e outra no jardim, ao lado de uma varanda larga e de piso encerado para facilitar o arrasta-pé dos dançarinos. O fino da sociedade estava salpicado por toda a elegante mansão: nos jardins da entrada ainda chegava gente em meio ao movimento de carros que manobravam na rua, pela varanda que tomava toda a frente da casa havia grupos conversando, os salões estavam apinhados e os que não dançavam se movimentavam para o *buffet*, misturados aos garçons atarefados, que passavam bandejas servindo uísque escocês e champanha francesa; nos jardins interiores, nas sacadas que davam para esses jardins, o movimento era igual ao longo da imensa área ornamentada de plantas tropicais e que terminava na piscina azul, onde Amelinha mandara colocar mesinhas e cadeiras e mais um bar de emergência.

Sarita, durante todo o trajeto entre sua casa e a mansão dos Caldas, não trocara uma palavra com Eduardo. O marido achou preferível não insistir e somente quando saíam do carro – aquela droga daquele carro do Edu – e entravam na festa foi que ele falou mais uma vez, para dizer o que já tinha dito várias vezes:

– Eu não tenho culpa de que aquele bêbado tenha vendido o carro. Agora vê se melhora essa cara que isto não é cara de festa.

Sarita fuzilou-o com um olhar feroz mas logo viu a presidente da CAMUDE a estender-lhe a mão e abriu um largo sorriso para ela. O casal cumprimentou em volta e encaminhou-se para o salão, onde Eduardo deu de cara com um figurão e saiu conversando com ele em direção oposta àquela que Sarita tomou, disposta a encontrar Cid e saber por que o cretino tinha vendido o carro para outra pessoa, depois de tudo que combinara. Mas foi Sarita descer uma escadinha e sair para os jardins internos e logo aparecer Téo, de copo na mão:

– Que tal? – ele perguntou, com um sorriso que pensava ser discreto.

Parou na frente dela e ficou aguardando o cumprimento que não veio. Sarita olhava-o com um ar que o deixou apreensivo:

– O que foi que houve?

— Téo, eu sinto muito, mas não estou *in the mood* para gozações — e dizendo isto Sarita deu-lhe as costas e continuou a caminhar, sorrindo aqui, sorrindo ali, cumprimentando os conhecidos.

O Dr. Teódulo de Carvalho, ilustre cirurgião plástico, que já tinha consertado a cara de tantas damas presentes, não pôde evitar para si a cara mais desconsertada. Ele não compreendia aquilo. Pois não fora à casa do rapaz, não dera os 12 milhões suplementares para a compra do carro? O que é que Sarita queria mais? Esta resposta ele não a teria ali. Era um homem muito prático, o Dr. Teódulo. Aquele era um problema que só poderia solucionar no dia seguinte e tratou logo de transferi-lo para as próximas 24 horas. Estava ainda parado a pensar nisto, quando passou Dodora, jovem, bonita e sapeca, filha do ministro das Relações Exteriores.

— Oi — disse Dodora.

— Oi — respondeu Teódulo. E saiu atrás dela.

Sarita, por sua vez, continuava procurando Cid. Ia passando por uma das sacadinhas dos salões que se debruçavam para aqueles jardins, quando ouviu-lhe a voz:

— Olá. Lembra-se de mim?

Sarita olhou para ele e teve até vontade de chorar de ódio. Mas conteve-se. Cid segurava uma taça na mão direita e uma garrafa de champanha na outra mão. Começou a encher a taça vagarosamente.

— Eu preciso falar com o senhor — disse ela.

— Pois fala, meu bem. Sobe aqui que eu divido o meu champanha com você. É Veuve Cliquot safra antiga, a única viúva velha que me faz bem.

— Como é que se sobe aí? — quis saber Sarita, sem achar a mínima graça no que ele dizia.

— Tem uma escadinha aí do lado — e no momento em que dizia estas palavras, Cid viu um garçom se aproximar da sacada com uma bandeja cheia de copos e uma garrafa: — Hei... — exclamou: — Vamos fazer uma troca. Fique com esta garrafa vazia e me dá essa cheia e mais uma taça aqui para a madame — e foi logo trocando as garrafas e apanhando uma taça, debruçando-se na grade da sacada.

Virou-se para dentro, onde já se encontrava Sarita e, pondo-lhe a segunda taça na mão, ordenou, enquanto a servia:

— Vamos beber juntos o sangue da viúva.

Sarita deu um golinho elegante e depositou a taça sobre a mesa onde um conjunto de flores rodeava a vela acesa, ao centro:

— Você sempre foi cínico assim? — ela quis saber.

— Eu, cínico? Eu sou um tímido, minha filha — e Cid bebeu todo o champanha que restava em sua taça.

— Cid — Sarita fez uma pausa: — Como pôde você ser tão mesquinho para ter uma aventura comigo?

— Êpa — interrompeu ele: — Não estou entendendo patavina. Tome o seu champanha primeiro e me explique.

Ela aceitou o conselho, virou a taça e, enquanto ele a enchia outra vez, perguntou:

— Por que você vendeu o carro a outra pessoa?

— Eu? — Cid não parava de beber e se intrigar: — Mas eu não vendi para outra. Vendi ao seu marido. Eu não conheço seu marido direito, mas tenho certeza que era ele.

— Para meu marido? Para o Edu?

— Claro. Ele foi lá em casa, disse quem era, pagou o que combinamos e saiu. Quase se encontrou com aquele médico besta. Depois veio o médico, pagou o resto e também saiu...

— Mas não é possível.

— Como que não? Foi seu marido mesmo que marcou a entrega do carro para as seis horas. Às seis da tarde ele passou lá de novo e levou o carro.

— Cid — Sarita quase gritou o nome dele: — Meu marido chegou em casa dizendo que não fez o negócio.

— Hem?

— Que você tinha vendido o carro para outra.

— Puxa, espera aí — Cid bebeu mais uma taça de champanha, Sarita idem e, de repente, ele pulou na cadeira: — Achei!!!

Sarita olhava-o atônita.

— É óbvio que achei — e deu uma gargalhada: — Você não está entendendo? Bem que seu marido me pediu para que a nossa transação fosse secreta, para não complicar o Imposto de Renda dele.

— Mas isto não tem nada a ver com a entrega do carro — ponderou ela.

— Sei, mas raciocina, criatura: seu marido me disse essa coisa do imposto. Eu, por mim, achei ótimo, mesmo porque ainda ia receber mais 12 milhões e a Delegacia do Imposto de Renda não precisava saber disso. Mas agora é que eu vejo. Ele pediu segredo porque comprou o carro e deu pra outra.

— Que outra?

— Eu sei lá? Só pode ser a amante dele.

Cid caiu na gargalhada, desta vez com mais vontade. Ria, bebia e explicava:

— Ora, meu amor... seu marido passou a perna em vocês dois. Deu o carro de presente para a pequena dele e obrigou o amante da mulher a pagar — riu mais, serviu-se de mais champanha: — E o pior é que aquele médico imbecil não vai poder nem chiar — e apontando para Sarita, com lágrimas nos olhos de tanto rir: — Nem você... você também não tem como estrilhar!

Sarita bebeu mais champanha, estava a estátua da sem graça. Piscou muito os olhos e acabou sorrindo também.

— É o jeito, meu bem — Cid incentivava: — Agora só resta achar graça.

— Mas será mesmo? Acho que você tem razão. O pamonha do Edu tem uma amante. Ele deu o carro pra ela.

— Claro que deu — e rindo perguntou: — Ele disse para quem eu vendi o carro? Ao menos assim você fica sabendo quem é a amante dele.

— Disse sim... espera aí. É uma lambisgóia de São Paulo. Mas é lógico. Por isso Edu vai tanto a São Paulo. Nesta altura já deve ter mandado o carro para ela.

— Mas ela quem?

— Ele disse o nome. Espera aí... Jandira. Jandira Mendes Prates. Uma que chamam de Jan.

Cid parou de rir: — Jan??? — seu rosto empalideceu.

— Você conhece? Deve conhecer. Você é de lá.

— Jan é a minha noiva!

— O quê??? — Sarita primeiro teve um leve frouxo de riso. Depois riu com mais vontade. Acabou dando a mais sincera gargalhada. Servia-se do champanha e ria.

Cid deixou que ela colocasse mais da bebida em sua taça. Seu riso foi aumentando aos poucos até voltar ao que tinha sido antes.

E os dois ficaram ali uma porção de tempo... rindo, rindo!

A Noiva do Catete

1

Ali estava a velha Rua do Catete, e estava como sempre fora, tão cosmopolita e tão carioca, a conservar ainda alguns sobradões de outrora, que resistem heróicos à fúria imobiliária; velhos sobradões sombrios das pensões famosas que abrigam tantos estudantes pobres: rapazes vindos do interior sonhando um dia serem médicos, advogados, que chegavam às vésperas do ano letivo sobraçando livros e cadernos – uma velha mala, em busca de um quarto e, às vezes, nem isto, mas uma cama na "república" de estudantes, o quarto grande do fundo do corredor, onde se instalavam os futuros doutores de menores posses, contentados com uma simples vaga; esperançosos talvez de que a promiscuidade se transformasse em calor humano, em espantalho da solidão, e as amizades se solidificassem para o bem comum, pois todos chegavam com o travo da saudade, a saudade de casa, o carinho, sua cama verdadeira, a comida, certa poltrona, os cheiros domésticos dos lençóis, do banho, do feijão, e então se esforçavam por fazer do velho sobradão o seu lar – um estranho lar onde só se abrigavam filhos.

Ali estavam os sobradões de outrora, uns poucos, ladeados pelos edifícios altos, onde mora uma gente que não se conhece e quando sai de casa se mistura ao movimento da velha Rua do Catete, com seu comércio imenso onde se acha de um tudo e é só procurar nas mercearias gigantescas ou nas humildes quitandas, ou nas padarias, vidrarias, bancos, farmácias, armarinhos, tapeçarias, colchoarias, decoradoras, sapatarias, alfaiates, confeitarias, barbearias, modistas, a Camisaria Vulcão, os açougues que se confundem no talho – Ao Talho Nacional, Ao Talho Central – os hotéis modestos: Flórida, Imperial, Atlas, Carioca e há muito tempo o elegante Hotel dos Estrangeiros, na Praça José de Alencar, onde a rua termina e onde terminou Pinheiro Machado, que à porta desse hotel cometeram dois crimes estúpidos; primeiro o assassinato de eminente político, depois o assassinato da belíssima árvore que fazia frente ao prédio e que foi com ele, solidária na sua demolição; e mais as tradicionais casas de móveis A Sublime, A Vitoriosa, A Mobiliária, A Renascença, A Alvorada, A Bela Aurora, A Belas Artes, A Nova Era, A Bela Vista, A Estética do Catete, A Felicidade do Catete, e os restaurantes e bares de nomes estranhos como Ao Forte Lusitano, Flor do Catete, Flor da Glória, Petisqueira do Catete, Raviolilândia, Primavera de Espanha, Bali Hai, Arapongas, Flamenguinho, Petúnia, Twist, Ponto Acadêmico e o lendário Lamas, cujas portas – diziam – não se cerravam nunca e durante a década de 1930 abrigou toda uma estranha fauna de boêmios autênticos e teóricos, bêbados contumazes e bissextos, prostitutas e artistas, estudantes de dinheiro contado para a média e pão-com-manteiga, pão canoa, manteiga dupla, torradas de Petrópolis; e grã-finos desgarrados que comiam o mais honesto bife-com-fritas, prato que os garçons chamavam de "um com elas", grã-finos com quem implicava o então obscuro jornalista Rubem Braga – hoje o sabiá da crônica – que, antes de voltar ao seu quarto na pensão onde também moravam Graciliano Ramos e Lúcio Rangel, costumava provocar e, citando Raimundo Correia, criticava o seu alarido de gente rica, berrando-lhes o verso "são os fidalgos que voltam da caçada"; ali estava a velha Rua do Catete como sempre fora, abrigando os fotógrafos do Largo do Machado, fiéis intérpretes do suplantado estilo lambe-lambe e que mantêm estúdios modestos no correr da rua, exibindo na porta, para os transeuntes, as caras de uma freguesia feia e triste, se excetuarmos as belas mulatas, freqüentadoras do largo e das gafieiras do bairro, que sempre tiraram fotografias de um romantismo gaiato, ora cheirando uma flor de haste enorme, ora segurando na altura do peito um coração recheado de paina ou de capim cheiroso e estufado em pungente veludo vermelho; um retrato que depois a mulata dá ao seu amado, nas noites dessas mesmas gafieiras pelas quais passou com sua bossa de sambista o pianista Sinhô, que já se foi mas deixou as mulatas, pois o que seria dos estudantes de todos os tempos se não houvesse a doméstica do bairro para namorar nos cantinhos escuros da rua que ali estava como sempre fora?

Como sempre fora, começando no Largo da Glória, atravessando o Largo do Machado e terminando na Praça José de Alencar, mas contendo em seu curso dois cinemas – o São Luís, que já foi o maior de todos, e o Asteca, que sempre foi o mais feio de todos – um teatro, o Teatro do Rio, uma igreja, a de Santo Antônio Maria Zacarias, ladeando o colégio dos padres Barnabitas; a velha Faculdade de Direito por onde passou tanta gente ilustre; contendo até um palácio, o das Águias, que é hoje o Museu Histórico da República, porém muito menos histórico do que a própria rua, por onde passaram atrás de estridentes sirenas os carros de tantos presidentes desta República; por onde passou pela última vez como presidente, tendo ao seu lado o Cardeal, o orgulhoso Washington Luís, depois que reconsiderou a sua disposição de só sair morto do Palácio; por onde passou pela última vez para o mundo o Getúlio Vargas, que lá morreu.

Sim, ali estava a velha Rua do Catete como sempre fora e, naquela radiosa manhã do verão de 1966, as pessoas caminhavam mais lentamente, por causa do calor. Um senhor gorducho parou em frente ao edifício e protegeu-se na sombra da marquise, passando um lenço pelo rosto suado. Nesse edifício, onde se espremiam 15 apartamentos por andar, a inquilina do 514 acordava para o seu dia. Luci Maria Simões. 24 anos. Solteira. Branca. Cabelos e olhos castanhos. Sinais particulares: nenhum. Carioca e bonitinha.

2

Um raio de sol tinha vencido a persiana de tiras plásticas da janela que dava para a área interna do prédio e viera se deter no chão do apartamento. O vento da manhã balançou a persiana; o raio sumiu e tornou a aparecer no mesmo lugar, o que despertou a atenção do gato. Era como se a pequena circunferência de luz que o raio projetava no chão tivesse se mexido. O gato levantou-se atento, caminhou alguns passos devagar, pronto para dar o bote e ficou em seguida parado e quieto, examinando a bola de luz. Depois desistiu de caçar o que quer que aquilo fosse, deu um miado enfastiado e pôs-se a caminhar novamente em direção à cama. Deu um pulo calculado e foi cair sobre o lençol amarfanhado que cobria Luci.

A moça despertou devagar, espreguiçando-se longamente. Segurou o gato pela barriga, levantou-o no ar e deu-lhe um beijo no focinho. O gato miou novamente, no momento justo em que o despertador começou a tocar. Luci esticou o braço em direção à mesinha de cabeceira e agarrou o relógio, desligando a trava do despertador. Colocou o objeto no lugar em que estava antes e como o gato miasse de novo, puxou o lençol e levantou-se:

— Tá com fome, neguinho? Eu vou te dar o leite. Vem! As pernas vergaram-se para enfiar as chinelas japonesas e Luci caminhou até a porta da cozinha. Não era preciso dar mais do que três passos para chegar ali, Luci abriu a porta e o gato correu entre suas pernas, entrando na frente, de rabo levantado, contente com a perspectiva de ganhar seu leite. Luci resmungou:

— Esganado! — e entrou atrás dele no pequeno compartimento, atravancado pelo fogão de duas bocas, uma geladeira grande demais para o local e um armário de pintura desbotada. Por cima, duas prateleiras corriam por toda volta da parede, cheias de latas, pacotes e garrafas, em meio aos mais variados objetos: um ferro elétrico, um secador de cabelo que estava enguiçado, um liqüidificador, uma forma de bolo, uma coqueteleira amassada de um lado, um abajur sem lâmpada, uma caixa de sapatos cheia de pregos, parafusos, um alicate e um martelo.

Luci abriu a geladeira e retirou uma garrafa de leite cheia pela metade, derramou numa tigela até a borda e guardou a garrafa, tornando a fechar a geladeira. O gato, satisfeito, pôs a língua cor-de-rosa de fora e começou a fazer o seu desjejum com estardalhaço.

— Devagar, Pelé... leite muito gelado faz mal.

O gato não lhe deu a menor atenção e Luci voltou ao quarto para levantar a persiana, inundando de luz o seu modesto aposento e tornando mais à mostra a sua figura grotesca, com aqueles rolos todos no cabelo, o rosto inchado de dormir, marcado ainda pelo travesseiro; um rosto luzidio do creme que ela passava para refrescar a pele, todas as noites, antes de se deitar.

Ligou o radiozinho transistor e entrou no banheiro, sem o menor cuidado de fechar a porta. Dizem que esta é a única vantagem dos solitários: podem ir ao banheiro sem fechar a porta.

Para os homens, Luci morava com a tia, mas na verdade até já se acostumara à solidão. A tia era necessária para sua própria defesa. Dizia que morava com a tia e assim eles sentiam um certo recato, nunca iam procurá-la no apartamento. Se alguém queria falar com ela que ligasse para o 511, onde morava D. Ernestina, viúva de um funcionário dos Correios, uma velha muito boazinha, que tinha telefone e não se incomodava de guardar recado para qualquer morador do quinto andar, onde todos a queriam bem e todos lhe puxavam o saco, dando-lhe, de vez em quando, pequenos presentes – um pacote de talharim, frutas, uma lata de conservas e guloseimas diversas, desde bombom Sonho de Valsa até marmelada Colombo, que D. Ernestina era gulosa e, no dizer de Luci, "a salvação da lavoura". Só ela tinha telefone, no quinto andar.

D. Ernestina não era tia de Luci, mas não se importava de ficar sendo. Luci um dia explicou que, para pessoas de cerimônia que ela sabia incapazes de abusar do telefone da vizinha, dava o número como se fosse seu e acrescentava: encabulada de dizer que era o telefone de uma vizinha:

– Se eu não estiver, deixe recado com titia!

Mas na verdade – eu repito – Luci não tinha tia nenhuma. Ou se tinha, nem ela mesma sabia por onde andava. Luci era sozinha e inventara a tia com certos requintes. Tinha até uma fotografia da velha num porta-retrato, em cima da cômoda. Um dia seu Almeida deixara umas revistas estrangeiras para ela folhear. Era um hábito seu: sempre que precisava ir embora mais cedo, seu Almeida – talvez apiedado da solidão em que a amante vivia – trazia um livro da *Coleção de Ouro* (Luci gostava muito de Perry Mason – o advogado invencível) ou então uma dessas revistas de fotonovelas. Naquele dia tinha ganho umas revistas estrangeiras e levara para Luci. E ela encontrou sua tia no *Post*. Apanhara a revista e estava folheando, vendo as caricaturas, as fotografias, porque não falava inglês, e deu com o retrato daquela velhinha simpática, na contracapa, fazendo anúncio de um aparelho de ar-refrigerado. Recortou a fotografia, passou a ferro para ficar bem esticadinha e colocou no porta-retrato.

Durante uns dois ou três dias meditou sobre os prós e contras que poderia lhe causar aquela parenta, mas a velhinha sorria sempre tão alegre para ela que acabou resolvendo deixá-la ali onde estava, em cima da cômoda.

Tal era a tia de Luci, uma velhinha corada e satisfeita, que ninguém desconfiava já ter feito anúncio para o *Saturday Evening Post*, uma revista muito apreciada pelas senhoras americanas da classe média. Houve um tempo em que a sobrinha brincou de imaginar como era sua tia. Embora já tivesse se chateado dessa brincadeira, ficara estabelecido que a tia se chamava Elena – o nome de sua falecida mãe –, era muito católica, viúva, gostava muito de jogar biriba baratinho com as amigas, tinha 61 anos (no começo teve 64, mas depois Luci diminuiu um pouquinho), era severa mas fazia as suas vontades e poderia chegar a qualquer momento. Quanto à voz de tia Elena, era a de D. Ernestina do 511, quando atendia o telefone.

3

Luci saiu do banheiro e pôs uma panela no fogo para fazer café; voltou da cozinha, entrou outra vez no banheiro e passou um lenço sobre os cabelos, dando um nó na nuca. Escovou os dentes, bochechou com água e cuspiu na pia. Guardou a escova no armarinho e examinou os dentes escovados no espelho. Cantarolando o bolero que o rádio tocava, ensaboou as mãos e depois, baixando a cabeça, passou a espuma no rosto para limpar os restos da pintura e do creme.

Pouco depois estava na cozinha, coando o café. O cheiro da bebida espalhou-se pelo apartamento. Luci trouxe o bule até a mesinha da saleta de entrada, apanhou uma xícara e derramou o líquido escuro e quente. Voltou à cozinha e tirou a manteigueira da geladeira e trouxe para a saleta, pondo-a em cima da mesa. Deu a volta e foi buscar em cima da cômoda uma chave com a qual abriu uma gaveta de onde tirou uma lata de biscoitos.

Sentou-se à mesa e dedicou-se vagarosamente a passar manteiga numa bolacha que tirou da lata. Quando acabou a operação, colocou a ponta da faca sobre a manteigueira, para não sujar a toalha, e deu uma dentada sem vontade, na beira da bolacha. Apanhou a xícara e deu um gole cauteloso, com medo de que o café estivesse quente demais. Não estava: deu um gole maior.

O rádio anunciou:

— E agora passamos ao nosso informativo internacional...

Luci levantou-se e trouxe o rádio para a mesa:

— ...sob o alto patrocínio do Banco...

Luci virou o botão. Uma valsa. Achou que servia e deixou nessa estação. Olhou para a bolacha, deu mais uma dentadinha e tomou novo gole de café; outra dentadinha, outro gole.

Acabou o café mas não acabou a bolacha. Jogou-a no prato e levantou-se. Olhou em volta e viu o maço de cigarros na mesinha de cabeceira. Foi até lá e acendeu um. Sumiu depois pela porta da cozinha. Voltou com uma bandeja. Botou tudo que estava em cima da mesa dentro da bandeja, menos o rádio. Na passagem para a cozinha, depositou a lata com as bolachas em cima da cômoda. Foi lavar a louça, que deixou emborcada sobre a pia e retornou ao quarto. Apanhou a caixa de fósforos e foi pro banheiro. Acendeu o gás do aquecedor e abriu a bica do chuveiro, enfiando a mão pela cortina de plástico. Tirou a camisa transparente do *baby-doll* com todo o cuidado, para não prender uma alça nos *bobs* do cabelo e, botando uma touca impermeável por cima do lenço que trazia preso na cabeça, tirou a calcinha e, abrindo a cortina, entrou na banheira, para debaixo do chuveiro.

Saiu do banheiro enrolada numa toalha. Já estava enxuta e vinha em busca de outro cigarro, que tirou do maço e botou na boca. Lembrou-se que a caixa de fósforos ficara no banheiro e retornou para apanhá-la. Já no quarto, debruçou-se na janela e olhou para cima, em busca da nesga de céu que lhe fornecia diariamente a previsão do tempo. Não confiava nas informações do Serviço de Meteorologia transmitidas pelo rádio. Preferia conferir pessoalmente. O pedaço de céu estava azul, o tempo devia estar firme.

Mais uma vez no banheiro, retirou o lenço da cabeça e começou a retirar os *bobs*, fazendo caretas no espelho, sempre que um deles ficava preso aos cabelos e era obrigada a puxá-lo. Quando os cabelos ficaram totalmente livres daqueles incômodos canudos, abriu a porta do armário e tirou uma escova para alisar a cabeleira.

Quinze minutos depois abriu a porta do guarda-roupa, escolheu um vestido e atirou-o sobre a cama. O gato pulou para cima da cama também e pisou no vestido. Luci espantou-o com uma recomendação taxativa:

– Não enche, tá?

Virou-se e ficou nua. Jogou a toalha em cima de uma cadeira e apanhou sutiã e calcinha, dentro do guarda-roupa. Vestiu as duas peças e enfiou as pernas dentro do vestido, abotoando-o de costas para o espelho, para verificar se não pulava um botão. Não pulou.

Quem pulou foi o gato, outra vez para cima da cama. Mas ela não se incomodou. Foi ao banheiro, estendeu a toalha e pegando o batom na cômoda, pintou os lábios cuidadosamente, em frente ao espelho do guarda-roupa. Depois fechou a porta, arrumou a cama, colocou alguns objetos nos seus devidos lugares, inclusive o rádio que continuava tocando – agora era um samba – na mesinha ao lado da poltrona, onde se sentou e olhou para o relógio na mesinha de cabeceira: eram 10 e meia.

Ouviu música, aproveitou para lixar uma unha que estava querendo lascar, olhou pro teto duas vezes e para o relógio umas cinco ou seis.

Às 11 horas e 45 minutos a campainha tocou.

4

— Olá! — saudou o rapaz, postado em frente à porta que Luci escancarou, depois de verificar pelo olho mágico quem apertara a campainha.
— Olá! — respondeu ela.
O rapaz esticou o pescoço e fingiu que examinava o interior do apartamento:
— Tia à vista?
— Tia apagada temporariamente — respondeu Luci, sorrindo e puxando o rapaz pelo braço, para que entrasse.
Ele entrou, fechou a porta atrás de si e, enlaçando Luci pela cintura, beijou-a longamente na boca.
— Bom?
— Hum-hum!
Sua murmurada resposta foi selada com outro beijo, mais violento.
Era um rapaz robusto, bem-vestido, de uns 30 anos aparentes. Pelo olhar que deu em torno, fazendo um reconhecimento do local, via-se que nunca estivera antes no apartamento de Luci. Pela cerimônia com que tirou o paletó, perguntando antes se podia, notava-se que era a primeira vez que os dois se entregavam a intimidades amorosas.
Ela ofereceu-lhe a única poltrona do apartamento e ele sentou-se pesadamente, afrouxando o colarinho e o laço da gravata. Depois puxou-a para o colo e tornou a beijá-la. Luci enfiou os dedos pelos seus cabelos e pôs-se a brincar com eles, com gestos sensuais. O rapaz encostou seu rosto ao dela e esfregava o nariz em sua orelha; e assim ficaram algum tempo, até que ele perguntou:
— Quem é esse cara?
Luci não parou de afagar-lhe os cabelos e, com voz sussurrante, perguntou:
— Que cara?
— Esse que está me olhando ali do tapete, com cara de mau. É seu namorado?
— Não tenho namorado. Esse aí é o meu gato.
O rapaz começou a desabotoar as costas do vestido, devagar mas com mãos firmes, enquanto ela tomava a iniciativa de um novo beijo. Quando já não havia mais botões para desabotoar, mesmo de boca colada na dela, alisou-lhe as costas e forçou o vestido a cair, resvalando no ombro; a mão correu em sentido contrário e o vestido desprendeu-se do outro ombro, caindo sobre os seios que Luci apertava contra o peito dele. Ela afastou-se

um pouco, livrou os braços de entre as alças e ficou somente de sutiã, da cintura para cima.

— Com pressa? — perguntou, dando um beijinho no nariz do rapaz.

— Não — e aproveitou que ela deitava a cabeça em seu ombro, para fazer cócegas em sua nuca. Ela mexeu o pescoço numa sensação de volúpia, enquanto o rapaz queixava-se:

— Por que é que naquele dia você não quis?

— Não sei. Não estava com vontade... eu acho.

— Pois eu estava!

— Eu também talvez estivesse — e esfregou seu nariz no dele.

— Então pra que perdemos tanto tempo?

— Sei lá... era a primeira vez que eu te via.

— Você não é do tipo "o que ele vai pensar de mim".

— Graças a Deus... — e entregou-se à tarefa de dar pequenos beijos nos olhos do rapaz, ora num, ora noutro, deixando que ele a libertasse do sutiã. Várias vezes ele tentou desabotoar com uma das mãos e sem jeito para conseguir seu intento, apertou-a mais contra si e desprendeu o sutiã com a ajuda da outra mão.

Vagarosamente, como acontecera com o vestido, o sutiã resvalou pelos ombros macios e torneados de Luci, caindo-lhe sobre o colo. Trocaram outro beijo longo e ele disse baixinho, como se estivesse segredando:

— Quando recebi seu telefonema ontem me espantei. Pensei que você já nem se lembrasse mais de mim.

— Fiz mal em ligar?

— Claro que não. Eu não esperava, só isso. Eu liguei duas ou três vezes para você, deixei recado com sua tia e você nem me deu bola.

— Mas agora me deu vontade — e cruzando violentamente os braços em volta do pescoço dele, beijou-o mais uma vez.

Depois ela levantou-se e o vestido caiu-lhe aos pés, mas o sutiã ela fez voltar aos seios e ficou sustentando com a mão esquerda espalmada sobre ele, num recato que excitou o rapaz.

Luci apanhou o vestido no chão, sacudiu-o e estendeu numa cadeira, enquanto ele parecia tomar uma decisão repentina. Levantou-se e pediu:

— Puxa! Eu estive na cidade desde cedo. Fazia um calor infernal. Será que eu não podia tomar uma chuveirada?

— Claro que pode. Deixa eu apanhar uma toalha.

E, enquanto ela abria o armário e tirava uma toalha, ele acabava de tirar a gravata e começava a tirar a camisa. Luci jogou-lhe a toalha e o rapaz colocou-a sobre os ombros, acabando de se livrar da camisa. Depois dirigiu-se para a porta da cozinha.

— A outra porta, meu bem — e Luci caminhou atrás dele, para abrir a porta, que ele transpôs dando-lhe um beijo roubado, na passagem.
— Basta puxar a alavanca grande, o bico de gás está aceso.
— Eu quero é um banho frio.

Luci deixou-o no banheiro e caminhou até a janela, puxando a persiana e deixando o quarto envolto na penumbra. Tirou os sapatos e deitou-se na cama, fechou os olhos e fingiu cochilar. Antes, pegou o gato, botou na cozinha e trancou.

Pouco depois o rapaz retornava do banheiro. Parou no meio do quarto enrolado na toalha. Gotas de água rolavam entre os cabelos de seu peito. Era um belo animal, sadio e forte. Notava-se que era bem-educado e bem-tratado. Seus dentes brancos apareceram, quando sorriu ao notar que a moça estava de olhos fechados, estirada na cama, apenas de calcinhas. Caminhou rápido para a cama, deitou-se e abraçou-a praticamente num mesmo movimento.

— Ai! — gemeu Luci, abrindo os olhos. — Você está frio.
— E você está na chamada temperatura ideal — beijou-a.
— Ideal pra quê?
— Pra tudo.
— Bobo.
— Vamos fazer uma troca, tá?
— Qual?
— Eu te dou esta toalha e você me dá sua calcinha de presente, hem?
— Tem certeza que não sai perdendo?
— Juro! — e dizendo isto, desvencilhou-se da toalha, enquanto Luci levantava as pernas e puxava as calcinhas para cima, até a altura dos joelhos. Não pôde continuar. Ele já atirava a toalha longe e puxava-lhe as calças com força, deixando-a completamente nua. Fincou o cotovelo esquerdo na cama e debruçou-se sobre Luci.

5

Os dois ficaram ali deitados, o rapaz com um braço sobre o ombro dela, durante um tempo indefinido para ambos. Quando o rapaz falou, Luci estava de olhos fechados, inteiramente ausente, pensando nas coisas que teria de fazer, quando se levantasse da cama; fazer umas compras, telefonar para o noivo, saber se ele estava melhor, pagar a conta de luz e gás...

— Meu bem, eu tenho de ir.

Luci mexeu-se na cama, o rapaz apanhou a toalha, levantou-se e enrolou-a na cintura. Voltou a sentar-se na beira da cama:

— Tenho uma porção de coisas para fazer.

— Eu também — disse ela. Enrolou-se num lençol e correu para o banheiro: — Já, já eu saio.

O rapaz também caminhou para a porta: — Por que não juntos?

— Demora mais — respondeu Luci. Passou a mão pelo rosto dele e trancou a porta, deixando-o meio sem jeito.

Quando os dois já estavam vestidos, notava-se que a pressa dele em deixá-la era maior do que a dela em livrar-se dele. O rapaz gaguejou umas desculpas, atraso de hora, fez ela prometer que telefonaria noutro dia e saiu. Luci rodeou o olhar em volta, procurando alguma coisa para fazer. Lembrou-se do gato, abriu a porta da cozinha e ele entrou miando no quarto. Ela seguiu-o e começou a arrumar a cama.

De repente ficou parada, com um travesseiro nos braços e um sorriso nos lábios. Ele era um belo rapaz. Conhecera-o no Museu de Arte Moderna, durante uma exposição. Cismara com ele. Luci pensou de novo, como a examinar seu pensamento anterior. Era isso mesmo: cismara com ele. Conversaram um pouco, trocaram-se os respectivos números de telefone. Fora há uma semana. Ligou ontem, marcou o encontro. Sorriu de novo; não telefonaria mais para ele, nem atenderia seus telefonemas. Era melhor assim.

Abriu uma bolsa, examinou para se certificar se o dinheiro estava dentro. Contou a importância por alto e desceu para as compras. Mal saiu do edifício, foi envolvida pelo burburinho e o movimento da Rua do Catete.

Caminhou meia quadra e parou para olhar as bugigangas que um camelô expunha num tabuleiro: pentes de fabricação ordinária, porta-retratos, saca-rolhas, correias de relógio. O homem olhou com solicitude para ela:

— Alguma coisa, madama?

Luci apontou para um monte de armadores de plástico para colarinho. Havia vários pequenos feixes, envoltos em elástico. O camelô apanhou três, mas ela só queria um montinho, que pagou e enfiou na bolsa. Continuou a caminhar, contente com a sua compra. Não gostava que Carlinhos – seu noivo – tivesse um ar de desleixado. Não que o rapaz relaxasse. Pelo contrário: Carlinhos vestia-se de forma a tornar agradável sua aparência. Não era desses homens fúteis que só se preocupam com a roupa, mas também não era nenhum mondrongo, o que, de resto, não lhe cairia bem. Um corretor de seguros não deve ser displicente, e sim impressionar favoravelmente àqueles com quem trata de negócios. Luci gostava de Carlinhos do jeito que ele era, amava-o com toda a sinceridade que uma mulher do seu feitio pode reunir; tinha por ele um carinho quase maternal, pois Carlinhos era o seu futuro e se considerava o futuro dele.

Apertava na mão a bolsa com as pequenas hastes de matéria plástica e lembrava-se da véspera, quando ela o repreendera pelo seu colarinho mal posto e ele se queixara de que sempre se esquecia de retirar os armadores, quando mandava as camisas para a lavadeira.

Caminhou até o fim da quadra e entrou num botequim, onde um homem gordo e luzidio, por trás do balcão, saudou-a com simpatia:

– Bom-dia, freguesa!

Ela respondeu à saudação e encaminhou-se para o canto onde estava o telefone público. O homem já sabia o que ela queria e entregou-lhe um maço de cigarros e uma ficha de telefone, enquanto ela se atrapalhava para abrir a bolsa ao mesmo tempo que segurava o fone.

Ligou para a pensão da Rua das Laranjeiras, onde morava Carlinhos:

– Alô, D. Romilda? É Luci... O Carlinhos já chegou para o almoço? Como?

A dona da pensão dizia que o Carlinhos chegara e estava na cama. Era melhor que não viesse atender. Estava muito gripado e com febre alta.

– Mas como é que foi acontecer isso? – preocupava-se Luci, exigindo detalhes, na sua aflição.

Carlinhos tinha despertado rouco, com dor de garganta e muito indisposto. Saiu assim mesmo, andando de um escritório para outro, secando o suor na refrigeração de cada um desses escritórios. Voltou com aquele febrão. D. Romilda exagerava. Achava que ele estava com ameaça de pneumonia.

– A senhora não devia ter deixado ele sair.

Sim, não devia. D. Romilda concordava do lado de lá da linha. Mas Luci sabia como o Carlinhos era teimoso. Ela aconselhara, mas ele insistira, dizendo que tinha umas corretagens importantes para fazer. Enfim, agora estava deitado com o corpo todo dolorido, principalmente a cabeça e a garganta. Era melhor levar lá um médico. Aquela febre...

Luci desligou, pediu outra ficha e imediatamente ligou para o Dr. Maurício. Era um médico muito bom, seu amigo. Há um ano atrás tivera um caso com ele; dormiram juntos duas ou três vezes e depois Luci explicou que sua "tia" ia voltar para casa. Deu as desculpas de sempre e afastara-se dele. Contudo, sempre que necessário, recorria aos seus serviços profissionais. O Dr. Maurício mexeu com ela, tentou um encontro para jantar, mas notando sua aflição, ouviu seu diagnóstico sobre o Carlinhos e receitou-lhe os remédios.

Ela agradeceu, desligou o telefone e saiu do botequim apressada; atravessou a rua e entrou numa drogaria, quase em frente. Comprou os remédios e, com o embrulho deles na mão, parou na calçada, indecisa entre seguir imediatamente para a pensão da Rua das Laranjeiras ou fazer antes as compras para o jantar com seu Almeida. Logo decidiu: Carlinhos precisava ser medicado; faria as compras depois.

Mandou parar um táxi e seguiu para as Laranjeiras.

6

— Quanto? — perguntou D. Romilda, enquanto Luci examinava o termômetro e Carlinhos, deitado na cama e de olhos semicerrados pela febre, também se interessava pelo resultado do exame que Luci fazia.

— 39,9. Você está com quase 40 graus — informou a moça, mordendo o lábio inferior, sem esconder sua preocupação.

D. Romilda tirou-lhe o termômetro da mão e guardou na caixinha de metal. Depois avisou que ia trazer a sopa.

— Eu não quero sopa nenhuma, D. Romilda — gemeu Carlinhos.

A senhora não lhe deu atenção e retirou-se do quarto, enquanto Luci o repreendia:

— Vai tomar a sopa sim, meu bem. Você tomou um monte de remédios. Se ficar de estômago vazio vai enjoar na certa.

Carlinhos soltou um murmúrio misto de reprovação e assentimento, enquanto ela arrumava as cobertas. Vendo-o sossegar, encostou a palma da mão na testa escaldante com intenção de aliviar-lhe o calor. Baixou o rosto sobre o do noivo e deu-lhe um beijo no nariz.

— Que tal? — perguntou Carlinhos.

— A testa está quente mas o focinho está mais ou menos.

— Mais ou menos como?

— Bem... eu já beijei narizes mais frios.

— De quem? — intrigou-se Carlinhos, abrindo um olho em atitude gaiata.

— De Pelé. Meu gato.

E Luci abaixou-se para beijá-lo outra vez, mas Carlinhos afastou o rosto:

— Fique quieta, meu bem. Você não sabe que o que eu tenho pega? Vá sentar na cadeira...

D. Romilda entrou com a sopa e Luci explodiu quase alegre:

— Deixa que eu dou.

— Eu não estou inválido — protestou o rapaz, mas em vão.

Luci deu-lhe a sopa e ficou ao seu lado mais de duas horas. Somente quando notou que o torpor da gripe prostrara Carlinhos num sono pesado, decidiu-se a sair. Tirou suavemente a mão de baixo da dele e tomou-lhe outra vez a temperatura da testa. A febre parecia ter cedido um pouco. Levantou-se e olhou mais uma vez para ele. Em seguida deu um longo suspiro e saiu do quarto procurando fazer o menor barulho possível.

Na sala emprenhou os ouvidos de D. Romilda com mil recomendações, que não deixasse Carlinhos sair do quarto a não ser para ir ao banheiro, que verificasse se estava calçado antes de pisar no ladrilho, que tal remédio devia ser dado de novo às tantas horas, e mais isto e mais aquilo, de tal forma que a velha senhora, de natural bonachona e paciente, acabou por dizer-lhe que sua experiência haveria de ajudá-la a cuidar do doente melhor do que Luci.

Esta caiu em si, sorriu para a dona da pensão para recaptar-lhe as simpatias e concordou que assim era. D. Romilda saberia cuidar melhor do noivo do que ela. Por isso iria tranqüila.

Mas não foi. Luci tinha pelo rapaz mais do que amor; uma esperança para o futuro. Sabia que o enganava, mas disto tinha um remorso vago e sofreria tanto quanto ele, se Carlinhos um dia descobrisse suas ligações com seu Almeida e tudo o mais. Dizia-se modelo profissional – e de fato era, mas muito esporadicamente – com isso justificando o dinheiro razoável que seu Almeida lhe dava. Carlinhos, entretanto, era a sua razão de viver ou, mais precisamente, em Carlinhos concentrava os dias do porvir, seu desejo de ter um filho, de constituir uma família e de viver honestamente o resto de seus dias. Luci não colocaria a mão no fogo por si mesma, mas era sincera em seus planos. Seu noivo estava doente e isto a preocupava.

Foi descendo a pé a Rua das Laranjeiras, pois era esta a terapêutica que usava para dissipar suas preocupações: cansar-se com longas caminhadas. Andava por andar, integrada no burburinho das ruas e voltava para o seu minúsculo apartamento sentindo-se mais aliviada.

Luci, no final da rua, decidiu-se por tomar a esquerda, em vez de seguir pelo Largo do Machado, caminho natural para voltar à Rua do Catete. Queria estar um pouco sob as árvores do Parque Guinle, outra de suas manias, porque tinha para si a certeza de que contemplar árvores frondosas e ver crianças a correr sobre o gramado enganavam a sua solidão. Por muito tempo caminhou devagar pelas alamedas do parque, deixando que sua atenção vagasse entre o admirar o vôo de um pássaro ou a imponência de uma árvore.

Depois sentou-se num banco vazio, de pernas cruzadas, cotovelo fincado na coxa, apoiando o queixo contra a mão, para olhar a brincadeira das crianças que freqüentam o parque. Sorria dos tombos dos menorezinhos, da graça das meninas e tão absorta estava que não notou a aproximação de um garotinho louro. Ele estava ao seu lado, olhando para ela, quando Luci se deu conta de sua presença:

– Olá! – exclamou ela, fingindo uma intimidade de velhos amigos.

— Olá! — o menininho respondeu. Para logo emendar: — Vamos tomar um sorvete?

— Ótima idéia. Você tem um sorvete aí, para nós tomarmos?

O garoto ficou indeciso. Não esperava a pergunta. Mas logo se refez e insinuou:

— Eu sei *donde qui* tem.

— Onde? — indagou Luci olhando em volta.

— Ali — mostrou o garoto, apontando para um sorveteiro, com um dedinho gordo e decidido.

— Pois então vamos lá arranjar um sorvete para cada um de nós.

— Eu quero de caixinha — disse o menino, que docilmente lhe deu a mão. E mal Luci depositou-lhe a caixinha entre os dedos, o menino agradeceu e disse "até logo".

— Mas nós não vamos tomar o sorvete juntos?

— Não posso. Tá na hora *deu* ir — e saiu correndo em direção a um grupo de companheiros, lá longe.

Luci veio caminhando de volta para os portões do parque, tomando o seu sorvete e sorrindo do episódio. Saiu pela direita, atravessou todo o Largo do Machado pelo lado esquerdo e entrou outra vez na velha Rua do Catete, para fazer as compras do jantar. Lembrou que ainda não tinha almoçado:

"Não faz mal. Em casa eu tomo café com leite e biscoitos", pensou, enquanto entrava numa mercearia e dirigia-se ao balcão das verduras.

7

Luci abriu a porta com dificuldade e empurrou-a com o pé. Entrou sobraçando as compras e fechou-a com a bunda e logo pôs-se a ralhar com o gato que veio se roçar pelas suas pernas. Colocou os embrulhos em cima da mesa e foi ao banheiro. Saiu dali enxugando as mãos num avental que em seguida amarrou na cintura e levou os embrulhos para a cozinha. Abriu o bule com o café da manhã, pensou em esquentá-lo mas logo deu de ombros. Teria com quem jantar e sabia que então comeria direito. Este é um problema dos que vivem solitários: a hora das refeições, quando comer sozinho faz mais cruel a solidão.

Luci em pouco mais de meia hora já dera as sobras de carne para o gato, já fizera uma nova arrumação no apartamento, já colocara as panelas no fogo e arranjara a mesa para dois. Depois recostou-se na cama e leu algumas revistas com fotonovelas, enquanto vigiava à distância as panelas. O jantar já estava pronto e ela se encontrava outra vez no banheiro retocando a pintura, quando seu Almeida entrou e bateu palmas discretamente à entrada.

Ele tinha a chave do apartamento, sempre entrava sem avisar, mas gostava de fingir que era discreto, batendo aquelas palminhas chochas como a insinuar que não queria surpreendê-la em situação embaraçosa.

– Oi! – exclamou Luci, do banheiro: – Entra, meu bem.

Seu Almeida era um homem de uns cinqüenta e poucos anos, gordo sem ser balofo, saudável e conservando os traços de quem fora um rapaz bonito. Vestia-se com indisfarçável esmero e tinha um ar de prosperidade. Era o típico cavalheiro "que deve ter uma amante".

Luci saiu do banheiro e deu-lhe uma bochecha a beijar, o que ele fez num gesto de rotina, sem muito entusiasmo. Depois atirou-se na poltrona e reclamou o seu cansaço.

– Trabalho demais, meu bem?

– O de sempre. Eu trouxe a água-de-colônia que você me pediu.

– Obrigada – e Luci foi até a cozinha, verificar as panelas. De lá prosseguiu no diálogo: – Tudo bem em casa?

– Bem.

– E o garoto?

– Ah... já está bom.

Luci voltou e sentou-se nas pernas de seu Almeida. Tirou-lhe o paletó e atirou-o para cima de uma cadeira. Pôs-se a afrouxar sua gravata, enquanto ele brincava com os seus cabelos. Puxou-a para si e deu-lhe um beijo na boca.

— Ficou todo borrado de batom — avisou Luci, rindo.

— Espera, eu vou ao banheiro — disse ele, interrompendo o gesto dela, que ia limpar-lhe o batom com a ponta do polegar.

Luci levantou-se e disse que ia até o apartamento de D. Ernestina, saber se havia algum recado para ela. Seu Almeida entrou no banheiro e fechou a porta. Luci saiu para telefonar para a pensão a ver se Carlinhos melhorara. Voltou pouco depois, contente por saber que a febre passara e — segundo D. Romilda — ele estava com fome outra vez.

Entrou discretamente e notou que seu Almeida se incumbira de deixar o quarto em penumbra. E lá estava ele deitado na cama, com uma toalha enrolada na grossa cintura. Fingia cochilar. Luci tirou os sapatos para deitar-se ao seu lado. Antes pegou o gato, botou na cozinha e trancou.

— Ai! Você está frio — disse, ao abraçá-lo.

— Pois você está quentinha — disse seu Almeida, com a voz rouca do desejo.

Luci sentou-se, tirou o vestido:

— Eu sou sempre quentinha, bem. Não sabia? — e mordeu-lhe o lóbulo da orelha.

Seu Almeida encolheu-se de prazer.

— Vamos fazer uma troca? — propôs ela.

— Qual? — indagou ele, sem nenhuma sensualidade na voz. Esperando um pedido dela.

— Você me dá esta toalha e eu te dou minha calcinha, tá?

Seu Almeida adorou a brincadeirinha e logo apoiou-se nas espáduas para que Luci retirasse a toalha. Depois foi puxando a calcinha dela, devagar.

— Deixa que eu tiro, bem.

Luci acabou de descer a calcinha pelas pernas e atirou-a longe, ficando completamente nua. Fincou o cotovelo esquerdo na cama e debruçou-se sobre o encantado seu Almeida.

Já fazia uns 15 minutos que seu Almeida estava ali quieto, olhando para o teto, a pensar nos seus complicados negócios.

Luci, com um braço estendido sobre o seu peito cabeludo, cochilava tranqüilamente, quando foi despertada pelo seu pedido:

— Vamos jantar — disse ele e mexeu-se na cama, com a intenção de levantar-se. Ela retirou o braço e passou a mão sobre o rosto. Cobriu-se com o lençol enquanto ele apanhava a toalha, enrolava-se nela e trancava-se no banheiro.

O jantar transcorreu quase em silêncio. Luci, preocupada com Carlinhos, pouco falava. Seu Almeida é que – depois de servir-se novamente de uma fatia de carne (Luci cozinhava realmente bem) – informou:

– Já depositei sua mesada. Pode retirar quando quiser.

Bebeu um gole de água mineral, olhou para o copo:

– Estive com meu médico domingo, no Jóquei. Ele me disse que uma cervejinha ou outra, de vez em quando, eu já posso tomar.

Terminou de comer e recostou-se na cadeira:

– Tem algum programa bom na televisão?

Não tinha, mas mesmo assim seu Almeida ligou o aparelho e sentou-se na poltrona para ver qualquer coisa. Luci trouxe-lhe o café e mais tarde veio aninhar-se entre ele e o braço da poltrona. Era um programa humorístico de uma graça circense e batida, mas seu Almeida assistiu-o com um sorriso nos lábios. Gostava daquelas coisas "para descansar o espírito" como costumava dizer, todas as noites.

De repente empurrou Luci delicadamente para fora da poltrona e falou:

– Tenho de ir. Hoje estou sem desculpa em casa.

Vestiu o paletó com a ajuda dela, que o levou até a porta e entregou-lhe a mesma bochecha, perdão, minto... entregou-lhe a outra bochecha para um beijo chocho.

Depois que ele saiu Luci desligou a televisão e foi para a cozinha lavar a louça, senão dá barata. Tudo lavado e posto a escorrer sobre a pia da cozinha, voltou ao quarto, tirou o vestido e meteu-se no *baby-doll*. tirou os sapatos e enfiou nos pés a sandália japonesa e foi para o banheiro mais uma vez.

Escovou os dentes, tirou a pintura, botou, um a um, todos aqueles *bobs* enrolados nos cabelos e terminou a toalete passando no rosto o mesmo creme de sempre.

Apagou a luz do banheiro, caminhou até a cama, sentou-se nela e deu corda no despertador, colocando-o de novo no mesmo lugar. Deu um longo bocejo, deitou-se, cobriu-se e apagou a luz.

Antes de dormir chorou um pouco.

A Donzela da Televisão

1

Pelo corredor passou um padre e a bailarina que vinha em sentido contrário deu um gritinho quando, ao cruzar com ele, levou um beliscão na coxa. Os dois seguiram seus caminhos rindo e, mal o padre sumiu na curva do corredor, apareceram do lado de lá um mosqueteiro e um soldado, desses estilizados, de calção curtinho e botas altas. O mosqueteiro agarrou o soldado pela cintura e deu-lhe um beijo na boca:

— Tchau, querida — disse o mosqueteiro.

— Tchau — respondeu o soldado e encaminhou-se para a porta do guarda-roupa feminino.

O mosqueteiro ainda ficou um instante indeciso sobre que rumo tomar e já outro soldado, vestido igual ao primeiro, passou pelo corredor. O mosqueteiro ficou olhando firme para ele, mas nada fez ou disse, deixou o soldado passar, simplesmente, pois sabia que nem uma piadinha podia soltar para Zelinda — ela era a pequena do diretor. Zelinda seguiu pelo corredor, desviou-se de um astronauta que vinha distraído, de *script* na mão, decorando o seu texto, e entrou no Bar da Fofoca.

O Bar da Fofoca era chamado assim tacitamente, pelos artistas da televisão, porque era ali que os casais se formavam e se separavam, era ali que uns falavam mal dos outros, enfim, toda a vida social dos artistas, uma vida social de grande comunicabilidade, se desenrolava ali. De um modo geral os artistas são afáveis uns com os outros, mas essa afabilidade pode crescer exageradamente, dando margem a comentários maliciosos, e pode se romper pelos motivos mais fúteis, causados ora por rivalidade profissional, ora por simples mal-entendidos. Naquele canto enfumaçado e cheirando a gordura, cantoras e bailarinos, atrizes e comediantes, técnicos e diretores, toda a fauna que movimentava os estúdios da televisão se reunia desordenadamente, para refeições ligeiras e conversas rápidas.

Quando Zelinda entrou, sua mãe — D. Jupira — conversava com Pastinha, que era o encarregado de atender aos fregueses que sentavam nos tamboretes do balcão. Pastinha – mulato, magrinho e veado – acabara de anotar num caderno a despesa das duas mocinhas que haviam se levantado para sair:

– Sabias que contrataram o Carlos Celso? – uma das mocinhas havia perguntado à outra.

– Claro. Já estive com ele lá embaixo, quando fui apanhar meu cachê.

– Faça o favor de não se assanhar muito, queridinha, que esse eu vi primeiro.

As duas deram uma risadinha assanhada e uma delas disse para o garçom, enquanto se levantavam dos respectivos tamboretes:

– Pastinha, anota a nossa despesa, meu boneco!

Elas se afastaram e Pastinha, passando um pano úmido pelo balcão, fez um olhar de desprezo em direção a elas e murmurou:

– Afogueadas!

Dito o quê, tornou à conversa com D. Jupira:

– A senhora faz muito bem em acompanhar a sua filha sempre. Aqui dentro só dá disso – e apontou com o lábio inferior as duas moças que já iam longe: – Se a senhora não olha pela sua filha, não é essa gente daqui que vai tomar conta dela.

D. Jupira, muito digna, muito esticada, sentada no tamborete, balançava a cabeça, aprovando as palavras do pederasta. Acabou de tomar o seu cafezinho, empurrou a xícara mais para o meio do balcão e falou:

– Eu é que sei o quanto me custou educar Zelinda. Não nego que ela, trabalhando na televisão, me ajuda muito, mas uma coisa eu garanto: no dia em que eu não puder acompanhá-la aqui dentro, ela não vai trabalhar mais.

– Pastinha, me dá um sanduíche misto e um suco de laranja! – pediu um ator que se aboletara três tamboretes adiante, com a cara pintada de um pó avermelhado e os olhos maquilados de maneira a dar-lhe ao rosto um ar mefistofélico.

– Lá vem ela – disse Pastinha, vendo Zelinda entrar no bar. E se afastou para atender ao ator.

– Está cansada, minha filha?

– Não – respondeu Zelinda, sentando-se ao lado da mãe.

– Tome um copo de leite.

– Não quero.

– Que não quer o quê, minha filha. Você precisa se alimentar para manter a forma.

– Mas, mamãe...

– Vá, tome – insistiu D. Jupira, colocando a mão sobre a mão da filha, acariciando-a.

— Tá bem, mamãe — e pediu contrariada, alterando a voz: — Pastinha, um copo de leite gelado.

— Falou com seu Ribas?

— Hum? — Zelinda não prestava atenção à pergunta da mãe.

— Falou com seu Ribas? Foi à sala dele?

— Ora, mamãe, a senhora queria que eu fosse à sala do diretor nestes trajes?

— Que é que tem? — estranhou D. Jupira. E pondo certa malícia na voz: — Garanto que ele, vendo suas pernas, não vai ficar nada contrariado.

— Mas lógico que eu não fui. Vou mudar de roupa primeiro. O ensaio foi de amargar.

Pastinha colocou um copo de leite diante de Zelinda e afastou-se outra vez. Enquanto a filha bebia, a mãe aproveitou a ausência do garçom e insistiu:

— Eu, se fosse você, ia assim mesmo.

Mas Zelinda não percebeu a insinuação materna. Deixou quase metade do leite no copo e respondeu:

— Nada disso. Vou trocar de roupa primeiro.

2

Zelinda tinha 22 anos e era de uma beleza saudável. Cabelos castanhos, um rosto redondo e alegre, tinha um porte que impressionava agradavelmente. Suas pernas eram longas e bem-feitas, seus seios eram redondos e firmes, sua cintura, elegante e fina. Sua inteligência não era tão longa como as pernas, nem tão firme como os seios, nem tão fina como sua cintura, mas isso não quer dizer que ela fosse burra. Era uma mocinha pouco experiente, ainda virgem, manobrada pela mãe e que tinha um curso inacabado de balé e um jeito gracioso para dizer textos de televisão.

Ribas abriu a porta de sua sala e disse, sorrindo:

— Entra, neguinha!

Zelinda, com o rosto vermelho do esforço de ainda há pouco, no ensaio do programa, obedeceu e passou por ele, transpondo a porta. Seu vestido era leve e rodado, com um decote atrás que ia até a cintura e Ribas, ao fechar a porta, não se furtou a um olhar de admiração pela beleza de seus ombros. Caminhou atrás dela e foi sentar-se à sua mesa, enquanto ela atirava-se displicentemente numa poltrona, deixando as saias um palmo acima dos joelhos, ao cruzar as pernas para tomar uma posição que a Ribas pareceu das mais provocadoras, mas que Zelinda assumia tão simplesmente que ele mesmo estava em dúvida se fora por acaso.

— Que é que você manda, meu bem?

— Eu não mando nada — ela respondeu: — Quem manda é você e por isso é que eu estou aqui.

— Olha que eu mando mesmo e depois você se arrepende.

Os dois riram da insinuação contida nas palavras dele, mas Zelinda logo tornou-se séria e dando à voz um tom mais infantil, disse:

— Ribas, é o meu contrato, meu bem. A mamãe acha que já era tempo de ser melhorado.

— Sua mãe, hem?

— Mas ela tem razão, Ribinha. Para fazer o que eu fazia aqui no começo, eu concordo que o meu ordenado era legal, mas agora eu já tenho feito muita coisa mais importante. Tenho entrado em quase todos os programas do horário nobre.

— Ué... mas não foi você mesma quem me pediu para ser escalada com mais freqüência?

— Bom, foi idéia de mamãe. Mas justamente por isso, para que eu depois pudesse pedir aumento. E eu tenho me saído bem. Você leu o que saiu de mim na *Revista do Rádio*?

— Não, mas calculo. Saiu sua fotografia de short, fritando ovos na cozinha de sua casa, com o título: "Estrelinha da TV é uma grande cozinheira".

— Uai... se você não leu, como é que você sabe?

— Adivinhei — respondeu Ribas, tomando um jeito misterioso.

— Pois é, eu já não sou uma figurante e ainda ganho ordenado de figurante.

— Ganhava — afirmou Ribas, levantando-se e rodeando a mesa, para dar por encerrada a entrevista: — Já não ganha mais. Você pode procurar o Serafim na secretaria amanhã, que ele tem um novo contrato para você assinar. Seis meses, duzentos mil.

— Verdade? — seu rosto se iluminou. Pulou da cadeira e abraçou Ribas no seu contentamento.

Ele deixou-se abraçar, passou os braços em torno de seus ombros e depois deu-lhe um beijo na testa. Segurou seu queixo carinhosamente e pediu:

— Agora deixa o seu amigo trabalhar que eu tenho coisas em penca para fazer.

Estava dizendo isso quando a porta abriu e uma pessoa ia entrando. Era Cardoso, José Maria Cardoso — diretor comercial da empresa, que se limitou a dizer: — Perdão — e ia fechar a porta outra vez.

— Um momento, Cardoso — disse Ribas: — Pode entrar. A moça já ia saindo.

Zelinda saiu de cabeça baixa e Cardoso encaminhou-se para a mesma poltrona onde ela estivera sentada, cantarolando e revirando os olhos, para gozar o amigo. Ribas sentou-se outra vez à sua mesa, tirou um cigarro do maço que estava sobre ela e acendeu:

— Não precisa ficar com essa cara de quem acabou de assistir a uma bacanal romana.

— Eu não falei nada — protestou Cardoso, mantendo o sorriso irônico.

— Não falou mas pensou. E se pensou está enganado. Ela só me abraçou de alegria, pelo contrato novo. Aliás, essa pequena é muito infantil.

— Muito... é tão infantil que ainda não desmamou.

— Se você está querendo se referir ao fato da mãe dela estar sempre ao seu lado, isto só prova que ela é uma menina direita.

— Calma, Ribinha... calma. Eu até simpatizo muito com essa menina, e até aqui achei que você estivesse de olhos abertos.

Ribas irritou-se: — O que é que você quer dizer com esse "até aqui"?

— Esse "até aqui" quer dizer que eu pensava que você percebesse o jogo da mãe dela. Você é um homem bastante vivo para perceber que essa velha quer lhe impingir a filha para algum proveito.

Ribas fez um gesto de impaciência, mas Cardoso impediu que ele lhe cortasse a palavra:

— Você é um homem casado, rapaz! O máximo que a velha poderá fazer contra você é uma pequena chantagem, vai querer dinheiro, vai querer que você promova a filha dela, sei lá... Isto é óbvio para qualquer um. Todos aqui têm essa Zelinda como sua pequena, como um caso seu. E ninguém se engana sobre os planos da mãe dela. Mas se você está querendo se enganar, é problema seu. Você é malandro bastante para saber disso tudo.

Ribas sentiu-se mais confortado com o conceito do amigo:

— Claro! — concordou: — A velha pode ter lá seus planos, mas a pequena é realmente muito boazinha. E ela tem valor, pode vir a ser um grande nome da televisão.

— Talvez — disse Cardoso, tentando botar um ponto final na discussão.

Entregou uns papéis a Ribas para assinar. Ribas assinou em silêncio e Cardoso saiu da sala, quando o telefone tocou:

— Seu Ribas?

— Sim.

A voz de D. Jupira, era macia: — Eu quero agradecer a atenção que o senhor teve para com a Zelinda, seu Ribas.

— Ora, D. Jupira...

— O senhor não imagina como ela ficou contente com o novo contrato. O senhor poderia nos dar o prazer de comemorar isso conosco.

— Bem, eu...

— Por que não vem jantar em nosso apartamento? É casa de pobre, mas honrada.

— Hoje é impossível — adiantou Ribas, esquivando-se.

— Então amanhã. A Zelinda amanhã não está escalada na tabela. O senhor nos dá o prazer?

— Amanhã talvez eu possa.

— Ela telefona ao senhor à tarde, para confirmar.

Ribas fez um murmúrio aprovativo e D. Jupira desligou, acrescentando antes: — E, mais uma vez, muito obrigada!

3

Era a primeira vez que Ribas jantava na casa de Zelinda. Os reiterados convites de D. Jupira foram delicadamente recusados até que, na véspera, com aquela história de comemorar o novo contrato da filha, ela conseguira um motivo que o levara à capitulação.

Estava ali sentado, numa salinha agradável, num sofá macio, tendo ao seu lado Zelinda e já tomara dois martínis preparados por D. Jupira. E lá vinha ela para servir o terceiro:

– Aceita mais um, seu Ribas? – e não esperou a resposta, enchendo-lhe o cálice: – Está um pouco de calor.

Por que não tira o paletó? Fique à vontade. A Zelinda é que é feliz, com essas bermudas.

Zelinda estava recostada num canto do sofá, com as pernas encolhidas e nuas. As bermudas apertadas realçavam a curva dos seus quadris de maneira perturbadora. De vez em quando ela dava um golinho pequeno no seu martíni e quem falava era sua mãe:

– Geralmente eu não deixo Zelinda beber, mas hoje estamos festejando, afinal de contas. Ela estava tão nervosa, com medo que o seu querido diretor não viesse.

– Ora, mamãe! – e Zelinda baixou os olhos.

– Não sabia o que vestir, a bobinha. Eu mesma sugeri que pusesse as bermudas. Com este calor, não é mesmo? Me dê seu paletó que eu penduro lá dentro, para não amarrotar – a velha apanhou o paletó das mãos de Ribas e encaminhou-se para o interior do apartamento: – Quando quiserem jantar é só pedir.

Ribas ficou ali sentado, olhando para aquela mocinha de uma beleza amena e de físico estontante. Deu mais um gole no seu martíni:

– Como é que saiu o programa de ontem?

– *Show das 9*? Você não viu?

– Não. Na hora eu estava conversando com o patrocinador da novela. Ele quer que o último capítulo seja transmitido do Maracanãzinho.

– Aquela droga daquela novela? – estranhou Zelinda.

– Na televisão só é droga aquilo que não tem audiência. Se o público gosta da novela, para nós é um bom negócio, meu amor – e colocando a mão sobre o joelho nu de Zelinda, concluiu: – Eu, inclusive, estive pensando em usar você no elenco da próxima novela: *Paixão de uma condenada*.

— Puxa! Seria ótimo — exclamou ela animada, sem reagir contra a pressão que Ribas fazia com os dedos sobre o seu joelho, diante do que, ele se pôs a acariciar-lhe a perna, com o polegar.

Zelinda sorriu e colocou a mão sobre a dele, num gesto de afeto que levou-o a pensar naquilo que Cardoso dissera na véspera. O outro tinha razão; D. Jupira já tivera tempo bastante para pendurar uns cinqüenta paletós, mas continuava lá dentro, deixando os dois ali na sala.

— Você acha que eu posso trabalhar em novela? Eu nunca fiz.

— Não sei. Mas a gente ensaia para ver. Eu estou desconfiado que você é muito mais atriz do que parece — e Ribas fitou Zelinda bem dentro dos olhos, para ver se notava alguma reação às suas palavras.

Os olhos dela só deixavam transparecer a alegria que lhe causara a idéia de poder trabalhar numa novela.

D. Jupira teve o cuidado de gritar do quarto, antes de entrar na sala:
— Como é, vocês não estão com fome não?

Ribas tirou a mão da perna da filha ao ouvir a voz da mãe:
— Acho melhor nós comermos sim, senão eu acabo de pilequinho — e mostrou a Zelinda o seu cálice vazio pela terceira vez.

— O Ribas está com fome sim, mamãe.

D. Jupira surgiu na porta e passou por eles sem olhar para o sofá, afirmando que não fosse por isso, pois ia tirar o jantar em seguida.

— Eu lhe ajudo, mamãe — propôs a moça, fazendo um movimento para se levantar, mas a mãe atravessou a porta da cozinha dizendo que não, que não queria ajuda nenhuma. Ela que ficasse onde estava, fazendo companhia à visita.

— Coitada da mamãe. Quando a gente está sem empregada ela se mata — observou Zelinda, com ar desajeitado porque, na verdade, as duas havia muitos anos não tinham empregada.

Durante o jantar Zelinda contou a D. Jupira o plano de Ribas, de aproveitá-la no elenco da próxima novela. Estava animada e falava muito — efeito da bebida que tomara insuflada pela mãe. O sonho de todas as suas companheiras no estúdio era trabalhar nas novelas, por causa da repercussão. Quase todo mundo vê novela. Por duas ou três vezes D. Jupira interrompeu a filha para dizer que ela devia ser grata a seu Ribas. Ele é que estava fazendo tudo aquilo. E Zelinda só encabulou e parou de falar, quando sua mãe, num dos insistentes elogios ao diretor, virou-se para ele e disse:

— Eu não devia revelar isto ao senhor. Eu sou suspeita para realçar os bons sentimentos de minha filha. Mas ela me confessou que adora o senhor.

Para ele o jantar correu todo com aquelas bruscas sensações tão diversas, que as duas mulheres conseguiram lhe causar: ora sentindo um constrangimento quase insuportável que lhe vinha da bajulação de D. Jupira, ora sentindo que o encanto de Zelinda era uma conquista que deixaria qualquer homem orgulhoso. A ele, inclusive.

Estavam acabando de tomar o café quando D. Jupira atirou a derradeira seta de um Cupido que esgotara sua munição:

— O senhor veio de carro, seu Ribas?

— Vim, sim senhora — respondeu Ribas, sem atinar com o porquê da pergunta.

— Então por que não vão dar uma volta? Está tão abafado aqui.

— Estou às suas ordens, minha senhora.

— Não. Eu não vou. Prefiro lavar estes pratos antes de dormir. Vá o senhor com Zelinda.

— Boa idéia — concordou a moça, levantando-se: — Vou botar um vestido.

— Vá assim mesmo, minha filha. Está calor e vocês não vão sair do carro.

— Que idéia, mamãe — e Zelinda foi trocar as bermudas pelo vestido, enquanto Ribas tomava o devido cuidado para que a senhora não visse o suspiro de alívio que deu por não ter que sair com ela naqueles trajes.

4

Sentado em sua sala particular, nos escritórios da televisão, Ribas – num de seus raros momentos de folga – recordava a noite da véspera. Deixara Zelinda em casa às 4 da manhã. Forçara a barra – como ele mesmo se propusera, para saber depois qual a reação de D. Jupira. Sorriu à idéia de que, na verdade, a sua intenção era dupla: saber qual a reação da mãe e qual a reação da filha.

Saíra com a moça no carro e deram uma volta pelas praias de Ipanema e Leblon, no começo um pouco embaraçados, mas logo com Zelinda abraçada a ele, depois que pedira a ela que lhe acendesse um cigarro. Zelinda colocou o cigarro em sua boca e ele aproveitou o movimento que ela fizera para mantê-la junto a si. Trocaram o primeiro beijo ainda com o carro rolando mansamente pelo asfalto do Leblon e depois ele manobrara em direção à Barra da Tijuca. Encostara o carro num lugar discreto e ali ficaram quase duas horas.

"Houve um momento em que eu quase consegui que ela ficasse nua", pensou.

A secretária entrou na sala e informou:

— Seu Cardoso no interno.

Ribas atendeu: — Fala, Cardoso!

A voz se ouviu, fanhosa: — Tens uma folguinha aí? Precisamos discutir os horários para os textos do novo programa.

— Pode vir – e desligou, mas logo a secretária reapareceu na porta:

— Mr. Morrison na extensão.

— Está bem – disse Ribas, com um suspiro de contrariedade: – passe a me chamar pelo *telespeak* que seu Cardoso vem aí conferenciar comigo.

— Sim senhor.

Ribas livrava-se da presença da secretária porque tinha intenção de discutir com Cardoso as ocorrências da véspera. Pegou outro telefone, entre os vários que tinham num canto de sua mesa e atendeu:

— Mr. Morrison?

— Como vai, Sr. Ribas? – o sotaque era de americano.

— Eu o chamei por causa dos filmes, Mr. Morrison.

— Não estão *okay*?

Cardoso apareceu à porta e Ribas fez-lhe um sinal para entrar e sentar, enquanto continuava a falar:

— Eles não têm legenda em português, assim eu não posso exibir na televisão. A embaixada não terá outros, com legenda?

— Sim, temos. Eu vou providenciar, Sr. Ribas.

— Obrigado, Mr. Morrison. Vou mandar devolver ainda hoje os que estão aqui. Até amanhã.

— Até amanhã.

Ribas desligou o telefone e virou-se para Cardoso:

— O que é que há com os textos?

— Já estão prontos e aprovados. Só falta horário.

— São todos de trinta segundos. Dois por dia, não é? — Ribas apanhou um grande mapa em cima da mesa e apontou com o lápis: — Botamos um aqui antes do programa infantil, o outro pode ir antes do Jornal.

O *telespeak* tocou e Ribas apertou o botão. A voz da secretária informava:

— Sua senhora no 04.

Ribas atendeu o telefone com a voz mais doce que encontrou:

— Que é que há, querida?

— Em primeiro lugar, eu quero avisar que o dinheiro acabou — a dona da voz não estava fazendo a menor questão de não parecer furiosa: em segundo lugar, eu quero dizer que, se voltar para casa à mesma hora de ontem, eu quero que se danem todas as reuniões de produtores que o senhor inventar, mas aqui o senhor não entra.

Ouviu-se o estalido seco do telefone que desliga e Ribas só teve o trabalho de colocar o fone no gancho.

— Que reunião foi essa, que eu não soube de nada? — perguntou Cardoso irônico, prevendo outra das encrencas que o amigo armava com rara regularidade.

— Você ouviu, hem? — murmurou Ribas, piscando os olhos, preocupado. — Eu saí com a Zelinda ontem. Cheguei em casa às 4 e meia. Deu a maior bronca.

— Não?!

— Espera — interrompeu Ribas: — Eu ia até discutir o assunto com você.

Contou tudo que se passara na véspera e chegou a detalhes do seu encontro com a moça, no carro:

— Mas quando eu insisti para irmos para o apartamento, ela deu pra trás.

— Claro. Está no papel dela.

— Mas ela é quase uma ingênua — insistiu Ribas: — É difícil acreditar que possa estar combinada com a mãe para uma chantagem.

— Mas pode não estar, ora essa — Cardoso não se deixava impressionar: — Pode perfeitamente não estar: — repetiu: — A velha pode estar, inclusive, usando a ingenuidade da filha para embrulhar você.

— Embrulhar como, Cardoso? Ela sabe que eu sou casado; tudo que pode acontecer é eu me aproveitar da garota e depois dar o fora. Não há lei que me obrigue a mais nada.

— Quanto você pagaria para não haver um escândalo?

— Eu??? Eu... — Ribas não sabia o que responder: — Ela não faria isso, porque a filha perderia o emprego. Ontem eu já deixei Zelinda lá bem tarde para ver qual a reação dela. Pois bem: você sabe qual foi a reação? Nenhuma.

Nesse instante o *telespeak* voltou a tocar. Ribas apertou o botão:

— Seu Luiz — disse a secretária.

— Mande-o entrar — e Ribas disse ainda para Cardoso: — E eu duvido muito que a mãe dela se meta comigo.

A pessoa anunciada entrou na sala. Era o assistente do programa que estrearia naquela noite: — Trouxe a relação do elenco para o senhor aprovar — disse.

Ribas passou os olhos e estranhou a ausência do nome de Zelinda na relação: — Por que você esqueceu de relacionar Zelinda Melo?

— Ué, a mãe dela telefonou pra mim dizendo que ela não ia entrar mais, porque passou a noite em claro. Falou que o senhor mesmo é que tinha mandado ela me dar o recado.

Ribas assinou o papel sem olhar para o Cardoso. Depois ordenou:

— Mande avisar a D. Zelinda que ela está escalada no programa e que, infelizmente, não podemos prescindir dela.

O assistente saiu para cumprir a ordem e Cardoso saiu atrás dele. Antes de fechar a porta, virou-se para o amigo:

— Quando a velha assumir o seu cargo, eu prometo pedir minha demissão solidário a você.

5

O auditório da televisão estava lotado. O programa que naquele momento se exibia tinha sido anunciado exaustivamente em todos os intervalos de anúncios da emissora, durante quase um mês. Toda a publicidade fora dirigida para chamar a atenção do público e agora um elenco com o qual os patrocinadores do programa gastaram milhões de cruzeiros, passava diante das câmeras, cantando, dançando, representando, tal como acontece sempre nos espetáculos musicais de grande montagem.

O nervosismo de uma estréia contamina a todos; artistas e técnicos, o pessoal dos bastidores e até mesmo o público, gente pessoalmente convidada para assistir a essa estréia do auditório, todos sentiam no ambiente o cheiro de novidade. Nos corredores os artistas corriam de um lado para o outro, atentos às suas entradas e saídas, enquanto os contra-regras e iluminadores gritavam ordens uns para os outros, aumentando a barafunda.

Nessas ocasiões Ribas preferia misturar-se aos atores do que ficar na cabina refrigerada, com os diretores da empresa e os financiadores do programa, e ali estava ele, quando o programa já ia a meio. Sabia que a participação de Zelinda terminava no quadro que ora finalizava e não se espantou quando ela, irradiando beleza, surgiu na coxia e se encaminhou para ele, sorrindo e enxugando o rosto numa toalha:

— Como é que está indo, meu bem?

— Ótimo – respondeu Ribas.

— Você depois me leva em casa?

— Acho que não vou poder, neguinha. Sua mãe não está aí?

— Está no auditório. Mas vê se dá um jeitinho de nos levar, tá?

— Tá – respondeu Ribas, enquanto ela se dirigia para os camarins e a orquestra atacava outro número, o que chamou a atenção dele.

Sabia que Zelinda teria que voltar ao palco para o final. Fez sinal para um contínuo e, depois de examinar o relógio e calcular o tempo que teria, pediu-lhe que fosse até o auditório chamar D. Jupira:

— Diga a ela para ir até a minha sala, lá em cima, agora.

Ainda esteve ali nos corredores, vendo uma coisa ou outra, pediu ao diretor de cena que não deixasse atrasar o número final e subiu para a sua sala, onde já encontrou D. Jupira muito interessada numas fotografias que havia sobre sua mesa.

— Boa-noite, seu Ribas.

— Boa-noite. Faça o obséquio de sentar-se.

D. Jupira obedeceu e foi quem falou primeiro, entrando direta no assunto:

— O senhor está zangado comigo, seu Ribas?

— Zangado não é bem o termo, D. Jupira. Eu estou é surpreso, por ter sabido que a senhora tentou criar um problema de indisciplina para sua filha. E logo ela, que é uma das artistas mais disciplinadas da casa.

A senhora não pareceu se intimidar com o que lhe foi dito. Ao contrário. Sorriu e ponderou:

— E se lhe dissesse que provoquei essa situação, para que tivéssemos esta entrevista, Sr. Ribas?

— Não estou lhe entendendo, minha senhora.

— Não está entendendo porque não quer. O senhor não esqueça que ontem saiu com minha filha e só a trouxe de volta para casa quando já passavam das 4 horas.

Ribas sorriu, contrafeito:

— Espero que a senhora também não esqueça que foi a senhora mesma que nos forçou essa saída.

— De acordo. O senhor está chegando onde eu quero. Eu praticamente obriguei o senhor a sair com minha filha. Mas trazer minha filha para casa àquela hora foi uma atitude que o senhor tomou por conta própria. E isso me deixou muito satisfeita.

— Como?

— Sim... isso me fez ter certeza de que o senhor não é indiferente aos encantos de Zelinda.

Ribas resolveu endurecer a voz:

— Senhora, faça-me o favor de dizer onde quer chegar. E não esqueça que eu sou homem casado e pai de vários filhos.

D. Jupira estava acendendo um cigarro e não respondeu logo. Preferiu puxar uma longa tragada e expelir a fumaça demoradamente:

— Pai de vários filhos — ela repetiu: — São três ao todo, não? Um menino e duas meninas. Poderá criá-los nos melhores colégios e lhes dar uma ótima educação sem muito esforço, não é mesmo?

Ribas balançou a cabeça, como que concordando com ela.

— Mas eu não, Sr. Ribas — prosseguiu D. Jupira: — Só Deus sabe o que me custou fazer de Zelinda o que é. Depois que o pai morreu, a minha vida foi um inferno. Eu fiz tudo por ela e chegou a vez dela fazer alguma coisa por mim. Creia que não foi fácil transformá-la no que ela é: uma linda moça, de bons modos, dotes artísticos razoáveis e muito disciplinada, conforme o senhor mesmo ressaltou ainda há pouco. Ela é linda e é donzela. O senhor sabia que Zelinda é virgem?

— Sim, ela me deu a entender isto ontem. Aliás, eu já calculava.

— Eu também fiz meus cálculos — afirmou D. Jupira, calando-se em seguida. Ela parecia não ter muita pressa em terminar aquele diálogo.

Ribas, por sua vez, não tinha nada a dizer e aguardava.

— Pelo que sei, o senhor não vive bem com sua mulher. Basta reparar na vida que o senhor leva para se perceber isso. O senhor já teve dezenas de casos com essas vagabundas da televisão. Mas minha filha não é uma vagabunda e o senhor já teve ocasião de constatar que não. Portanto, a coisa é simples...

— A coisa?

— Digamos assim, para facilitar. Eu não estou disposta a ter uma velhice sofrida. O senhor gosta de Zelinda, ela é uma excelente pessoa e sei que é melhor filha. Zelinda não me deixaria ao desamparo se pudesse me ajudar.

— E a senhora quer que eu ajude Zelinda para que ela um dia possa lhe ajudar, não é isto?

— O senhor tem sido bom para ela, o que colaborou para que eu tomasse esta decisão. Pode ficar com ela. Zelinda será sua se o senhor der a ela um apartamento próprio e mais, digamos, um carro e um bom contrato.

Ribas olhava fixo para aquela odienta senhora:

— Zelinda sabe desse seu plano? Desse seu plano abjeto?

— Se o senhor tivesse passado o que eu passei não o achava tão abjeto.

— Zelinda sabe? — insistiu Ribas.

— Posso lhe garantir que não. E, dependendo do senhor, não precisará saber nunca.

6

Passaram-se vários dias, um mês talvez, depois daquela noite em que D. Jupira fizera sua cínica proposta a Ribas. Durante esse tempo ele procurara evitar Zelinda, embora isto lhe custasse um pouco, pois não negava a si mesmo que tinha um certo encanto pela pequena. Mas isto ele fora incapaz de reconhecer diante de Cardoso quando – logo ao dia seguinte de sua conversa com D. Jupira – contara tudo ao amigo.

Os ares de profeta que Cardoso tomou aos poucos, enquanto ele ia lhe relatando detalhes da conversa, irritaram Ribas e chegaram a ter uma discussão desagradável, quando o outro acusou Zelinda de estar a par de tudo e ser cúmplice da mãe no plano desta. Isto, de maneira nenhuma. Nos encontros posteriores com a moça, Ribas notou que ela ignorava completamente sua conversa com a mãe, a ponto de tornar-se cada vez mais triste com o afastamento que ele forçou e acabou conseguindo. Mas Cardoso tinha razão noutros pontos, principalmente naquele da chantagem. Quem poderia garantir que aquele não era apenas o início dos planos de D. Jupira? Concordasse ele com o que ela exigia e, não demoraria muito, outros favores seriam exigidos.

Isto era óbvio, como óbvio se tornara para Ribas que Zelinda estava inteiramente ignorante dos planos maternos. Sentiu-se um pouco surpresa quando ele deu as primeiras desculpas para não encontrá-la. E numa noite, quando já era quase nenhum o movimento na ala do edifício onde se localizavam os escritórios da televisão, ela aproveitou o fato dele ter ido à sua sala apanhar uma pasta, para segui-lo, entrar na sala atrás dele, trancar a porta e cair numa poltrona chorando.

– Mas o que é isso, Zelinda? Vamos... – foi tudo que conseguiu dizer para animá-la.

A moça, quando conseguiu se refazer dos soluços, virou para ele uns olhos comovedoramente rasos de água e jurou que não compreendia por que sua atitude mudara tanto para com ela. E, num rasgo de sinceridade, desabafou:

– Naquela noite eu disse a você que era virgem, mas que isso não tinha a menor importância – soluçou mais um pouco e desabafou o resto, aos prantos: – Agora eu me arrependo do que disse, ouviu? Agora eu me arrependo porque vejo que você só queria uma coisa, e como não podia conseguir naquela hora, tratou de me deixar de lado.

É sim, Ribas teve muitas contrariedades desde aquela proposta de D. Jupira, mas as contrariedades maiores foram com Zelinda. Estava absolutamente convencido de que a moça não sabia o que a mãe lhe propusera, mas nada podia fazer. Não se sentia com direito a contar a Zelinda que espécie de mãe ela tinha. Isto só iria causar maiores dissabores à moça. E era precavido o bastante para não tentar levar avante um complicado romance que seria fatalmente interrompido com as chantagens de D. Jupira.

Convencido de que somente o tempo colocaria as coisas nos seus devidos lugares, amainava a consciência enviando Zelinda, sempre que podia, para fazer programas em São Paulo. Assim, forçava sua ausência e proporcionava-lhe salários extras. E os acontecimentos estavam neste tom, quando aconteceu de Zelinda ter de ir ao médico.

O destino gosta de se fazer irônico com certas pessoas e se o foi com D. Jupira, não se pode negar que ela merecia. Estava Ribas uma tarde em sua sala, quando a secretária abriu a porta e anunciou:

— Está aqui a mãe da Zelinda Melo. Diz que precisa muito falar com o senhor.

Ribas teve vontade de sair pela janela. Só olhar para aquela senhora, era-lhe um sacrifício. Mas não recebê-la talvez fosse pior:

— Mande-a entrar — disse.

A secretária abriu mais a porta, fez um sinal para que D. Jupira passasse e deixou os dois sozinhos na sala. A velha caminhou alguns passos com a lentidão dos condenados a caminho do cadafalso. Deixou-se escorregar numa poltrona e, muito pálida, falou:

— Eu vim lhe pedir encarecidamente que passe uma noite com minha filha.

7

Claro está que aquela cena pareceu a Ribas muito mais patética do que grotesca, mas isto vai por conta de sua ignorância sobre o que ocorrera dias antes. Deu-se que Zelinda começou a desconfiar que estava grávida e, como pouco entendesse do assunto, colocou D. Jupira a par de suas suspeitas.

— Sua idiota! — berrou a velha, mal a filha relatou alguns sintomas que lhe trouxeram as suspeitas: — Mas é claro que você está grávida!

— Mas, mamãe, como posso eu estar grávida assim... sem... sem... assim sem nada?

— Sem nada coisa nenhuma. Você traiu minha confiança, isto sim. Você deve ter ido para um apartamento com aquele Barba Azul da televisão.

— Eu??? — e Zelinda arregalava os olhos, enquanto espalmava a mão direita sobre o peito.

— Não minta, menina. Não minta que é pior — bufava a mãe, contendo a vontade de avançar para a filha e cobri-la de bofetões.

— Mas, mamãe, eu juro... — e não pôde completar a frase. O pranto afogou seus argumentos e Zelinda caiu sobre o sofá, escondendo o rosto entre as almofadas.

D. Jupira respirou fundo e resolveu mudar de tática. Ainda com dureza na voz, mas procurando falar mais pausadamente, sentou-se ao lado da moça e perguntou:

— Zelinda, escuta... Não adianta você mentir para mim! Você tem certeza que não foi ao apartamento desse Ribas ou algo assim? Não tiveram relações no escritório dele, talvez?

— Eu juro; eu juro por Deus — insistia Zelinda, com a voz abafada pelas almofadas e cortada pelos soluços.

— Bem... eu ouvi dizer que essas coisas acontecem, são raríssimas, mas acontecem. E não adianta ficarmos discutindo o caso antes de termos a certeza. Vista-se.

— Aonde é que nós vamos? — quis saber Zelinda, levantando o rosto molhado pelas lágrimas.

— Vamos a um médico. Ele examinará para saber se você continua virgem e mandará fazer um exame de urina, para saber se você está mesmo grávida.

Zelinda teve que tomar dois calmantes, antes de sair e D. Jupira, mesmo com seus modos duros, tomou um. Seguiram praticamente sem se falar até o consultório médico e aguardaram a chamada com evidente nervosismo, numa sala de espera quente e diminuta, onde os olhares neutros dos outros clientes aumentavam a irritação da espera.

O médico que examinou Zelinda era ainda jovem e isto embaraçou a moça ao máximo, mas ela estava disposta a provar à sua mãe que não fizera nada demais com Ribas. D. Jupira esperou inquieta numa saleta ao lado e quando o médico retornou ali, retirando as luvas de borracha, foi logo avisando:

— Sua filha não mentiu quando disse que conservava a virgindade. O exame provou isto, minha senhora.

— Mas... e a gravidez?

— Bem, pode acontecer dela continuar virgem e estar grávida, mas isto nós só saberemos depois do exame de laboratório.

— Aquele exame do sapo?

— Sapo? — estranhou o médico.

— Sim. Eu ouvi dizer que se injeta a urina a ser examinada num sapo e...

O médico pôs-se a rir e interrompeu-a: — Sim, o processo é mais ou menos este. Amanhã teremos o resultado.

— E, doutor... — a senhora falava com certa cautela, embora já estivesse informada com segurança de que o médico faria o aborto — ...em caso de gravidez o senhor se encarregará do caso, não?

— Mas ela não quer ter a criança?

— Lógico que não! — bradou D. Jupira: — Ela simplesmente não pode ter essa criança.

O médico pensou um momento. Notava que tinha aquelas duas senhoras presas a uma decisão sua; Zelinda era mesmo uma graça de moça; ele não teria maiores escrúpulos em fazer o aborto mas... por que não? Sim, ele tentaria insinuar-se para salvar a situação a seu modo.

— Nós estamos diante de um problema grave, minha senhora.

— Qual?

— A senhora, naturalmente, não quer que este segredo ultrapasse as paredes deste consultório.

— Mas isto nunca, doutor — apressou-se a dizer D. Jupira.

— Então não vejo outra maneira. Eu terei de fazer tudo — o médico atirou estas palavras de encontro a ela e ficou aguardando o efeito.

— Tudo como? Não é o senhor que opera?

— Sim, sou eu, e sem qualquer auxiliar. Já fiz isto outras vezes e não haverá o menor perigo. Segundo sua filha, seria uma gravidez muito no princípio.

— Um mês, no máximo!

— Portanto, fácil. O que eu quero que a senhora entenda é que, sendo ela virgem, as coisas podem se complicar — o médico parou de falar um instante, para que a sua farsa não fosse traída pela insegurança na voz. Pigarreou e prosseguiu: — É preciso que ela antes sacrifique essa virgindade.

D. Jupira estava com o olhar parado em sua direção e assim permaneceu algum tempo. Ele, com receio de que ela percebesse que aquela insinuação jamais fora problema de ordem cirúrgica, apalpou os bolsos por baixo do avental, procurando o maço de cigarros.

— Mas neste caso — falou D. Jupira — precisaríamos de alguém para... para ir com Zelinda?

— Isto mesmo. Desde o momento em que ela deixe de ser virgem, a operação torna-se facílima. Mas, para isto, teríamos mais uma pessoa ciente do segredo que a senhora, muito justamente, quer preservar.

— Sendo assim!

— A senhora não esqueça que eu, com o devido respeito que sua filha merece, não sou apenas um homem, sou também o seu médico.

— Compreendo. O senhor se oferece para...

— Justamente. Creio que é a melhor maneira de termos preservada a honra de sua filha.

— O senhor diz que o exame do sapo é para amanhã.

— O resultado teremos amanhã.

— Pois amanhã resolveremos isto. O senhor compreende. Eu preciso preparar o espírito de Zelinda para a — digamos assim — primeira operação.

— Claro. Não há tanta pressa — e o médico se levantou satisfeito, do braço da cadeira de ferro, onde se recostara.

Minutos depois Zelinda e D. Jupira saíam do consultório.

8

A senhora não achou conveniente debater com a filha a proposta do médico. O assunto era delicado e não valia a pena entrar nele enquanto não viesse o resultado do exame do sapo (pela cabeça de D. Jupira não passou nem uma vez a lembrança de que o exame era de laboratório: ela só pensava no "exame do sapo"). Se desse positivo, ela teria a conversa com a filha. E, meu Deus, se fosse negativo seria tão bom, tudo terminaria. Sua filhinha não passaria pelo horrível vexame. D. Jupira não queria nem pensar!

Mas no outro dia, antes mesmo da hora do almoço, o telefone tocou. A preocupada senhora atendeu e sentiu uma sensação desagradável ao reconhecer a voz do médico:

— D. Jupira? É o doutor Rego!

— Bom-dia, doutor. O senhor tem o resultado?

— Tenho sim, senhora. Deu positivo, D. Jupira. Sua filha está grávida — fez uma pausa, mas como D. Jupira permanecesse em comovente silêncio, prosseguiu: — A senhora acha que ainda vai precisar dos meus serviços?

— Hum? — D. Jupira divagava — Ah, sim... mas claro, doutor. Tudo será como combinamos, não?

— Perfeitamente, minha senhora. Poderíamos marcar a primeira operação para hoje à noite, aqui mesmo, no meu consultório.

— Hoje à noite?

— A senhora compreende. À noite o movimento aqui no prédio onde eu tenho o consultório é quase nenhum e...

— Mas vai ser no consultório, doutor?

— A senhora não acha que assim damos uma aparência mais ginecológica a esta primeira operação?

— Acho. Mas acho também que o senhor está se mostrando muito precipitado em operar minha filha — falou D. Jupira, chateada.

O doutor Rego sentiu um leve tom de suspeita na voz de D. Jupira e desmanchou-se logo em explicações:

— A senhora não me interprete mal, por favor. Eu já lhe expliquei que um aborto é sempre mais fácil, se feito nos primeiros dias da gravidez.

— O senhor pretende fazer as duas coisas hoje?

— Não, minha senhora. Sua filha terá que esperar uns três ou quatro dias entre uma operação e outra. Por isso é que eu quero resolver a primeira o mais rapidamente possível.

D. Jupira sabia que ia ser duro convencer Zelinda a se entregar ao médico, mesmo com o argumento de que devia enfrentar aquilo como uma medicação. E tratou de ganhar tempo.

— Zelinda hoje amanheceu muito indisposta, doutor. O senhor vê inconveniente em marcarmos a primeira operação para amanhã à noite?

— Claro que não. Fica a critério das senhoras. De qualquer maneira, a senhora tem meu telefone e eu estarei aqui no consultório até as 6 horas. Passe bem, minha senhora, e recomende-me à sua filha — muito polido o doutor, nas suas despedidas, mas sem esconder uma certa decepção pela transferência da primeira operação, detalhe que não escapou a D. Jupira e que lhe causou certo rancor.

Ela desligou o telefone e ficou pensativa durante alguns segundos, depois suspirou profundamente e levantou-se decidida. Era fácil perceber-se que D. Jupira estava disposta a resolver toda a questão nos próximos minutos. Entrou no quarto no mesmo instante em que Zelinda saía do banheiro, enrolada numa toalha.

— Ouviu o telefone? Era o Dr. Rego. O exame no sapo deu positivo. Você está grávida, minha filha.

— Oh, mamãe! — exclamou Zelinda, num desânimo total, caindo sentada na cama.

— Olha, minha filha. Eu pensei muito e isto não é um bicho-de-sete-cabeças. O Dr. Rego vai tomar todas as providências. Até fazer você voltar a ser virgem ele consegue.

— Virgem outra vez? — Zelinda passava do desânimo à estupefação.

— Bem... isto se você quiser.

— Mas eu sou virgem, mamãe. A senhora mesma não disse que o doutor me examinou e...

— Sim, sim... eu sei — interrompeu a velha, contendo-se, para manter um clima propício à sua proposta: — Mas fazendo o aborto você deixará de ser virgem, minha filha. Ou você ignora isto?

Zelinda calou, como quem consente.

— ...Aliás, você está numa situação em que a virgindade só lhe atrapalha.

— Como?

— Para lhe operar sem haver complicações, o Dr. Rego terá que antes livrar você da virgindade.

— De que maneira, mamãe? — os olhos de Zelinda estavam esbugalhados.

D. Jupira atrapalhou-se um pouco: — Creio que, bom... eu... Creio que ele usará o método tradicional.

— Oh, não!!! — Zelinda voltou a enfiar-se entre os travesseiros, numa atitude semelhante à que tomara quando, no sofá da sala, enfiou o rosto entre as almofadas, para chorar sua desdita. — Isto nunca. NUNCA! — e sua voz já se misturava aos soluços.

— Mas, querida, é necessário!

— Não interessa, ouviu? Eu prefiro ter o filho a me entregar àquele... àquele... — Ela levantou o rosto e olhou para a mãe: — A senhora não vê? Fazer a operação já vai ser o fim e ainda por cima eu vou ter que me deitar com aquele homem horrível? Não faço. Não faço operação nenhuma.

— Mas você tem que fazer, Zelinda. O sapo deu positivo.

— Dane-se o sapo. Sapo é aquele médico horroroso! — e foi taxativa: — Não faço! — dito o quê, enfiou outra vez o rosto nos travesseiros e pôs-se a chorar alto.

Contudo, D. Jupira era uma senhora de certa experiência: vivera, amara, casara, sofrera, enviuvara. Além disso, conhecia muito a sua filha. Deixou que Zelinda chorasse ainda um pouco e perguntou:

— O médico não precisa necessariamente fazer as duas operações. Se ele fizesse somente o aborto e esse tal de Ribas se encarregasse da... se encarregasse da primeira parte, digamos assim, você concordaria em se operar?

O choro de Zelinda foi diminuindo de volume aos poucos, o som foi baixando, baixando e aí ela fez um leve movimento com os ombros. Depois sua cabeça foi subindo devagar, ao mesmo tempo que virava o rosto para D. Jupira, um rosto ensopado de lágrimas.

E então ela fez que sim com a cabeça.

9

— Eu vim lhe pedir encarecidamente que passe uma noite com minha filha!

As palavras de D. Jupira apanharam Ribas desprevenido, foram como um soco num boxeador que deixara a guarda aberta. Ribas cambaleou pelo ringue meio grogue e foi se refazer no seu canto. No caso, um bloco de papel, onde rabiscou um desenho de tendência abstracionista, mantendo nos lábios um sorriso que tentava ser irônico mas que somente traduzia estupefação, enquanto se preparava para tomar fôlego.

— A senhora está me pedindo para dormir com sua filha? — perguntou, por fim.

— Justamente!

— A troco de quê?

— A troco de nada, Sr. Ribas — e D. Jupira tratou de entrar logo no assunto: — Zelinda está grávida por sua culpa.

Ribas rebateu imediatamente: — Culpa minha???

— Um momento. Eu sei que o senhor tratou de respeitar os limites. Ela foi examinada e constatou-se que continua virgem.

Daí por diante D. Jupira explicou todo o drama que a filha vivia, desde o dia em que começou a sentir sintomas de gravidez. Suspensão das regras, enjôos injustificados, etc., até a ida ao médico e a constatação de que ela, realmente, ainda era virgem, mas estava grávida.

— Mas como pode ser isso? — quis saber Ribas.

D. Jupira deu de ombros: — O senhor respeitou os limites mas nem por isso deixou de ser imprudente. Estas coisas acontecem.

Nesse momento Cardoso bateu discretamente na porta, abriu-a e ia entrando. Ao dar com D. Jupira na poltrona, estacou, indeciso:

— Um momento, Cardoso — pediu Ribas: — Eu lhe atendo já.

Cardoso fez meia-volta e saiu, fechando a porta atrás de si. Quando ia passando pela mesa da secretária, ouviu a voz de Ribas no *telespeak*, dizendo:

— Dona Graça, não estou podendo atender ninguém agora. Se for chamada telefônica diga que estou em reunião.

Cardoso parou, apontou para a porta e disse à secretária:

— Reunião com a sogra. É espeto!

Ambos riram, enquanto, dentro da sala, D. Jupira dava as últimas explicações a Ribas:

— E quando o médico exigiu que a operação só fosse feita depois que ela perdesse a virgindade, ela recusou-se a tirar o filho, a não ser que o senhor... colaborasse... para essa perda.

— Minha senhora — Ribas começou a falar pausadamente, medindo as palavras: — A senhora pensa que eu vou acreditar mesmo nesta história?

— É a pura verdade. O senhor desconfia de mim porque não soube compreender o apelo que lhe fiz há tempos. Mas eu lhe dou a minha palavra de honra que é verdade.

Ribas não conteve um sorriso, desta vez com todas as nuanças da ironia:

— Se o senhor não acredita em mim, deve ao menos confiar em quem lhe quer bem. Por que não pergunta a Zelinda?

— Seria um diálogo um pouco penoso para nós dois.

— Porém necessário, Sr. Ribas — e D. Jupira deu a entrevista por encerrada, embora sua incerteza sobre a atitude que Ribas iria tomar. Ficou em pé, no meio da sala, como a esperar que ele dissesse qualquer coisa.

— Eu vou pensar no seu pedido — disse ele.

— Quando terei uma resposta?

— Amanhã mesmo, depois que eu falar com Zelinda.

D. Jupira agradeceu com um cerimonioso baixar de cabeça e dirigia-se para a porta, quando ele falou:

— Ah, sim... e as despesas da operação de Zelinda correrão por minha conta, não?

— Seria mais um favor — respondeu ela, virando-se indignada e batendo a porta.

Ribas deu tempo para que ela tivesse saído da ante-sala e foi até a porta. Vendo que a secretária estava sozinha, copiando um relatório na máquina de escrever, pediu:

— Pergunte ao seu Cardoso se ele pode vir aqui, agora.

Num instante Cardoso apareceu, olhos arregalados, farejando novidades. Mal fechara a porta, já perguntava:

— Qu'é que houve?

— Se eu contar você não acredita.

— Pode contar — rebateu Cardoso, enquanto sentava-se: — ultimamente eu dei para acreditar em tudo.

— A velha quer que eu coma a filha.

— De graça? — estranhou Cardoso.

— De certa forma, sim.

— A loja está em liquidação — disse Cardoso rindo.

Ribas chateou-se com a irreverência do outro e Cardoso desculpou-se:

— Sinto muito, velhinho. Mas essa D. Jupira só levando na galhofa.
— Em síntese, a história que ela me contou é esta: Zelinda está grávida, mas continua virgem.
— Isto acontece nas melhores famílias.
— Já fez todos os exames e está realmente grávida.
— Um momento — Cardoso interrompeu: — Você acha viável que possa ser culpado da gravidez?
— Bom... esses casos são raríssimos, mas se é assim, bem pode ser que eu... De qualquer maneira eu acredito que Zelinda não teve caso com ninguém.
— Quanto a isto eu concordo. Cansei de observar a pequena desde que você deu o fora. Ela parece, de fato, gostar de você e nem ao menos teve a idéia imbecil de arrumar um outro para causar ciúmes.
— É verdade. Ela nunca soube dos planos da mãe e agora deu mais uma prova de que gosta de mim.
— Engravidando?
— Não... você não me deixou terminar. Segundo a mãe, o médico constatou que ela está grávida, mas permanece virgem e, para fazer o aborto, exige que ela não seja mais virgem.
— Mas por quê? Que besteira é essa?
— Eu também desconfiei dessa exigência do médico e perguntei a D. Jupira se ele se propôs também a tirar a virgindade dela. Ela disse que sim.
— Ora, Ribas! Isso é safadeza desse médico. Não vê logo? Onde já se viu a medicina estacar diante de um cabaço?
— Lógico — atalhou Ribas impaciente: — mas a velha não percebeu isso, por ignorância, talvez. Eu percebi logo, como percebi que esta é a minha oportunidade. Quando Zelinda soube que o médico se propunha às duas coisas, disse que preferia ter a criança a ter qualquer contato sexual com ele...
— Mas com você ela topa?
— Foi o que a velha disse. O que é que você acha?
— Acho que pode ser verdade. Conforme eu disse: eu dei para acreditar em tudo, mas meu anjo da guarda me ensinou a não acreditar em nada. Meu anjo é ateu, você sabia?
— Fale sério, Cardoso.
— Estou falando: para mim tanto, pode ser um novo golpe da velha, bem mais inteligente desta vez, não resta dúvida; como pode ser verdade e aí você não tem nada a perder. Pelo contrário: levando-se em conta que a pequena é um estouro, eu, se fosse você, faria esse favor a ela.

10

Ribas teve uma longa conversa com Zelinda, da qual saiu convencido de que, desta vez, não havia qualquer artimanha de D. Jupira, tudo se passara como a velha narrara. Trocaram um longo beijo e marcaram um encontro no apartamento que ele mantinha, de sociedade com Cardoso, para encontros amorosos. Agora os dois estavam ali. Um pouco encabulados a princípio, mas já num ritmo que agradava a ambos. Recostado nos travesseiros, semideitado na cama, sem camisa e sem sapatos, Ribas puxou Zelinda mais uma vez contra seu peito e deu-lhe outro beijo:

— Tadinha da futura mãezinha — disse ele. E ela sorriu e beijou-o outra vez.

No seu consultório, o Dr. Rego examinava umas fichas, quando deu com uma que tinha escrito à máquina, na parte de cima: Zelinda Melo. Pôs-se a ler distraidamente, pensando na moça e na chateação que sentira, quando a mãe dela telefonara, dizendo que Zelinda apresentar-se-ia em seu consultório "apenas" para fazer o aborto.

Ribas passou os braços em torno de Zelinda e começou a desabotoar as costas do seu vestido:

— Você sabia que sua mãe queria que nós tivéssemos este encontro?

— Mamãe sempre gostou muito de você. Mas a filha gosta mais — respondeu Zelinda, ajudando-o na difícil tarefa de desabotoar o vestido e permanecerem abraçados ao mesmo tempo.

O médico arregalou os olhos ao passá-los pela ficha de Zelinda Melo. Não podia ser. Estava escrito, em vermelho, a palavra "negativo". Então como foi que ele...

Pegou sua agenda e correu o dedo até o dia em que Zelinda estivera no consultório, para o exame. Feito isto, abriu um pequeno fichário e retirou todas as fichas de exames do dia. Eram quase todos com resultados positivos. Apenas dois negativos e um deles era o de Zelinda.

Zelinda apoiou-se nas mãos e levantou o corpo, para que Ribas lhe tirasse o vestido. Depois esticou as pernas e ele puxou as saias, atirando tudo sobre uma cadeira. Apenas de calcinhas e sutiã atirou-se outra vez com os braços envolvendo Ribas, encostou o rosto no dele e mordeu-lhe o ombro.

— Ai, bichinha! Não morde.
— Mordo — ela repetiu.

— Ajuda seu irmão, vá — e Ribas desabotoou as próprias calças para que Zelinda puxasse por baixo. Ela obedeceu e puxou. Os dois seminus começaram a rolar pela cama, dando mordidinhas um no outro.

O médico coçava a cabeça e perguntava-se como pudera cometer um engano assim. Talvez fosse a vontade de apanhar a pequena que o levara a trocar as fichas, quando elas vieram do laboratório. Tinha que avisar a mãe dela. Seria uma indignidade fingir um aborto numa virgem para encobrir um simples engano. Pegou um caderno com os endereços dos clientes e procurou o número de D. Jupira.

Ribas — por sua vez — conseguira prender Zelinda debaixo de seu corpo:

— Você sabe que é a coisinha mais linda?

— Meu amor! — disse ela, séria.

Ribas conseguiu arrancar o sutiã e puxou-o com a conivência dela, que inclinou o corpo, para ajudar. Agora ele corria as mãos pela sua cintura, enfiava um dedo no elástico da calcinha e começava a puxar lentamente.

Quando atenderam do outro lado, o médico falou:

— D. Jupira? É o Dr. Rego.

— Ah... pois não, doutor.

— Tenho uma boa notícia para a senhora. Houve uma troca de fichas. O exame de sua filha deu negativo.

— Como?

— Sim, minha senhora... Trocaram no laboratório — mentiu o médico.

— Trocaram os sapos?

— Sim, isto... houve uma troca. O exame de sua filha deu negativo. Que sorte, não?

— Sorte? — berrou a senhora: — Desligue o telefone imediatamente, eu preciso falar — e pôs-se a bater nervosamente no gancho.

O médico olhou para o fone, estranhando a atitude dela e desligou.

Ribas afagava os cabelos de Zelinda, deitada ao seu lado:

— Doeu muito? — ele perguntou.

— Eu te amo — ela repetiu, e abraçaram-se outra vez.

Foi aí que o telefone tocou. Ribas estranhou. Pouquíssimas pessoas sabiam da existência daquele telefone e até mesmo daquele apartamento, mas Zelinda tranqüilizou-o com a observação:

— Deve ser mamãe. Eu deixei o telefone com ela. Na hora em que saí, ela estava mais nervosa do que eu.

Ribas atendeu: — Alô!

— Seu Ribas, é Jupira.

— Pois não, D. Jupira.

— Seu Ribas... trocaram os sapos.

— O quê?

— Os sapos, seu Ribas — D. Jupira estava nervosíssima — no laboratório, fizeram confusão com os exames. Zelinda não está grávida. Tinha dado negativo.

— Sei, sei...

— O senhor entende? Temos que suspender a combinação.

— Mas aqui não tem ninguém de combinação.

— Sr. Ribas, a nossa combinação... Zelinda deve continuar como era.

Só então Ribas compreendeu realmente o que ela queria dizer. Ia estourar numa gargalhada, mas preferiu conter-se e dizer com voz consternada:

— Agora é tarde, D. Jupira.

— Inês é morta? — perguntou ela com voz muito mais consternada ainda.

— Inês é morta! — confirmou Ribas, desligando o telefone e abraçando-se à Zelinda.

A Currada de Madureira

1

Um balde de água fria explodiu contra o rosto inchado do negro Mixaim. Ele fez uma careta de dor e começou a se mexer, voltando a si, depois de ter perdido as forças mais uma vez. Mal abriu os olhos foi surpreendido pelo bofetão na cara que um dos investigadores à sua volta lhe deu. Deu e falou, com voz autoritária:

— Como é, seu crioulo vagabundo, vai ou não dizer quem é que estava contigo?

O negro Mixaim tinha sido preso num boteco da Rua Carolina Machado, depois de tomar um porre e tentar dar no português do balcão por causa de uma discussão sobre futebol. A eterna desavença entre lusitanos e pretos do Rio, numa rivalidade que suplanta mesmo as coisas de amor e deixa a mulata em segundo plano: a raiva de um crioulo quando vê um vascaíno menosprezando o Flamengo, o ódio de um português quando vê um rubro-negro gozando o Vasco. Mixaim agarrara uma garrafa de cerveja e pulara o balcão para acertar o português e este já o esperava com a tranca de ferro de fechar as pesadas portas corrediças do botequim. Um carro da radiopatrulha, sempre atento naquela zona, salvara Mixaim de uma surra, levando-o preso.

Aliás, salvara-o não é bem o caso, pois Mixaim já tinha desmaiado duas vezes de tanto apanhar. Era suspeito de ter participado de uma curra onde perdera a vida uma pobre mulher – Lucimar Barroso – num crime que abalava naquele momento a opinião pública, com a crônica policial dos jornais fazendo pressão sobre o chefe de polícia, acusando-o de relapso, pois era evidente que a polícia estava relaxando as diligências só porque havia gente do bicheiro Generoso metida na coisa. Mixaim deu com a língua nos dentes durante um ensaio da Escola de Samba Império Serrano e um alcagüete do detetive Bocão dera o serviço, isto é, contara tudo ao temido homem da lei e da delinqüência, porque Bocão era desses policiais, tão comprometidos com marginais, que se tornara – como tantos outros – um misto de policial e delinqüente. Fora ele que avisara o pessoal da Vigilância:

– Se apanharem o Mixaim levem direto para a subseção de Madureira e me chamem.

Agora era o próprio Bocão quem dirigia o massacre à guisa de interrogatório. Outro investigador dera um soco no estômago de Mixaim e insistia para que ele dissesse quais eram os que estavam com ele, no dia em que curraram Lucimar. Mixaim, sem poder falar, apenas balançava a cabeça, insistindo em declarar que estava sozinho.

Bocão perdeu a paciência e encostou o cigarro aceso nos peitos de Mixaim:

– Fala logo, moleque safado. Vomita logo o nome dos outros.

Mixaim soltou um urro de dor e começou a chorar, pedindo pelo amor de Deus que parassem com aquilo. Os policiais se entreolharam e Bocão sorriu:

– Vai falar ou não vai?

– Vou sim – concordou afinal Mixaim, num gemido – mas antes me dá um pouco de água, Bocão.

– Bocão não, seu cretino. Martins. Meu nome é Martins.

– Sim senhor, seu Martins – tornou a gemer Mixaim: – Mas me dá um pouco de água.

– Dá água pra ele, Olegário – ordenou Bocão.

Um dos investigadores apanhou o balde e derramou-o mais uma vez contra o rosto do preto, que lambeu os beiços intumescidos das pancadas que levara na boca.

– Eu quero água para beber.

– Depois. Primeiro conta a história toda.

Fora na noite do dia 18. O banqueiro Generoso estava com tanto ódio da moça que levara os três pessoalmente, no seu carro, até a viela onde ficava a casa de Lucimar. Parou na esquina e ordenou a Mixaim, que estava no banco da frente, ao lado do motorista:

– Você vai na frente e faça como eu disse. Chegue lá e diga àquela vagabunda que Betinho fugiu da prisão e está escondido no matagal lá do outro lado. Faça o serviço direito, Mixaim, para que ela acredite em você e vá até lá.

Mixaim saltou do carro enquanto Generoso dizia para Abel e para o "turco" Farah:

— Vocês dois esperem escondidos no mato. Quando Mixaim chegar com ela, já sabem. Não deixem aquela vaca gritar. Tirem a roupa dela, façam o serviço e depois marquem a cara dela de navalha.

Os dois já iam saltando, quando Generoso segurou Abel pelo ombro e recomendou:

— Depois que sangrar, não esqueça de dizer que foi um presente de seu Generoso, que é pra essa puta nunca mais se meter com meus homens.

Abel saltou e ladeou-se a Farah. Os dois correram cautelosamente, colados aos muros irregulares da viela, em direção ao matagal que ficava ao fundo e que ia dar na linha férrea. Mixaim — antes mesmo que eles alcançassem o mato – já desaparecera pelo portãozinho da casa de Lucimar.

Ela estava deitada, semi-adormecida — como dormir direito com aquele calor? — e despertou num sobressalto, ao ver a cara do negro na janela, sorrindo e olhando para suas coxas.

2

Lucimar dormia naquele quarto desde que se casara com Betinho. Depois do casamento estiveram uns dias em Paquetá, gozando a lua-de-mel por conta do banqueiro Generoso. Mas isto Lucimar só veio a saber muito tempo depois. Naquela época acreditava em tudo que Betinho lhe dizia e o que Betinho lhe contou foi que conseguira férias com o patrão:

– Ele é um cara legal, Gatinha. E ainda me deu um ordenado adiantado pra gente poder vir pra este hotel.

No começo Betinho só chamava Lucimar de Gatinha, carinhosamente. No dia em que se viram pela primeira vez ele a chamou assim. Lucimar servia café num bar da Praça Mauá, quando Betinho e Abel entraram, compraram ficha na caixa e colocaram sobre o balcão, esperando serem servidos.

Lucimar reparou logo em Betinho, achou-o simpático, com aquele sorriso limpo de dentes muito brancos. No bar só entravam homens feios, malvestidos, alguns bêbados, outros suarentos e gordos, carregando pastas. Naquele vaivém de todas as horas, Lucimar se habituara a nem olhar para os fregueses. Chegava perto com o bule fumegante, recolhia a ficha e esperava que o freguês se servisse do açucareiro. Então enchia a xícara de café e passava a fazer a mesma operação com o freguês ao lado. Era um serviço inglório, cacete e mal remunerado, mas Lucimar precisava dele. Desde que lhe morrera a tia velha, com quem vivera no Rio desde os 12 anos, não tinha mais nenhum parente ou amigo certo. Aprendera a se defender dando duro no trabalho e, naquela ocasião, estava lutando para melhorar, muitas vezes sacrificando uma refeição para juntar dinheiro e pagar o curso de datilografia que fazia à noitinha, depois que deixava o trabalho no balcão.

Lucimar reparou que Betinho também se interessara por ela. Quando virou-se para servir os fregueses ao longo do balcão, notou que ele cutucara Abel com o cotovelo. Aquilo a perturbou um pouco, mas procurou não dar a perceber, segurando o bule com mais firmeza e procurando se concentrar na tarefa de encher as xícaras.

– Nada de bancar o tremendão com as mulheres, velho. O tira vai passar agora na esquina e o homem recomendou que a gente estivesse junto – dissera Abel.

– Manera, compadre. Que é que há? Você não pode fazer o carreto do pacote sozinho? (Betinho dizia isso em voz baixa, para somente Abel ouvir, enquanto seguia Lucimar com os olhos até que seus olhares se encontraram e ele deu uma piscadinha para ela.)

— Tu "sabe" que não, Betinho. Tu "sabe" que o homem confia na gente e desconfia ao mesmo tempo.

— Nunca dei folga a ele pra desconfiar de mim — e Betinho animou-se ao entrever no jeito da moça que ela não ficara contrariada com o seu piscar de olhos.

— Mas ele sabe o que faz. Se ele manda sempre dois pra entregar o cala-boca pro tira é "por causa de que" dois é mais difícil de passar ele pra trás. Um toma conta do outro.

Tinham acabado de tomar o café e Abel, impaciente, puxava Betinho pelo braço. Este deixou-se levar e, ao passar por Lucimar, falou baixinho:

— Eu volto daqui a pouco, Gatinha.

Ela fingiu que não ouviu e caminhou para o outro canto do bar, para tornar a encher o bule. Betinho e Abel saíram para a rua e pararam na esquina, onde fingiram estar conversando mas, na verdade, atentos ao movimento dos carros.

Não havia passado dois minutos e um carro *sedan* preto encostou ao meio-fio, quase na esquina onde os dois estavam. O motorista fez um sinal jovial e exclamou:

— Olá!

Os dois se aproximaram e fingiram uma conversa amistosa com o comissário Agostini, que dirigia o carro. Agostini, sempre sorridente, para manter as aparências, apontou para a banca de jornais e pediu que um deles fosse lhe comprar um jornal. Fez menção de que ia tirar o dinheiro do bolso, mas Betinho barrou-lhe essa intenção com um gesto e afastou-se do carro para comprar o jornal.

A manobra foi rápida e eficiente. Para que alguém a notasse, era preciso que estivesse muito atento ao movimento dos dois que se encontravam fora do carro e, mesmo assim, talvez não a percebesse. Betinho pagou o jornal e veio caminhando devagar, interessado nas manchetes. Ao chegar perto do carro parou de ler e, com o jornal semi-aberto, chegou bem perto de Abel. Este, sub-repticiamente, jogou o pacote de dinheiro dentro do jornal que Betinho fechou e entregou ao comissário. Agostini colocou-o sobre o banco do carro, despreocupado e manteve ainda por coisa de um minuto o diálogo com eles. Depois agradeceu a Betinho a compra do jornal e, maciamente, o *sedan* afastou-se do meio-fio e misturou-se ao tráfego que descia a Avenida Rio Branco da Praça Mauá, no sentido da Avenida Presidente Vargas.

Os dois também se afastaram da esquina procurando andar com a maior naturalidade possível. O pacote que acabavam de deixar em poder do comissário era a gorda propina que o banqueiro Generoso ofertava semanalmente à polícia para não ser incomodado com estouros em suas fortalezas do bicho, na zona de Madureira.

Em frente ao bar, Betinho parou:

— Lá vai o derrubador de mulheres.

Betinho sorriu, olhou para o interior do bar e viu Lucimar na faina de encher as xícaras:

— O serviço está feito, Abel. Agora deixa eu paquerar essa gatinha. Avisa ao chefe que às 4 estou lá, pra corretagem.

Disse isso e deixou que Abel se afastasse contrariado. Depois entrou no bar para comprar nova ficha na caixa.

3

O suor frio do medo engrossava as gotas de água que ficaram no rosto de Mixaim. Bocão aproximou-se mais uma vez, empunhando o alicate:

— Nãããããããooo!!! – berrou Mixaim, e seu berro foi contido pelas paredes da sala de interrogatório.

— Foi ele sim – insistia Bocão, aproximando-se mais e fazendo o alicate tornar-se ameaçador ante os olhos apavorados do crioulo.

— Confessa logo que foi Betinho que mandou você dar curra naquela vaca – ordenou um dos investigadores, cujo rosto mal-iluminado pelo abajur pendente do teto não deixava perceber seu ar de desprezo.

Mixaim virou-se em direção ao investigador, temendo outro ataque:

— Mas não foi ele. Eu juro que não foi ele.

— Escuta, seu merda. Eu te arranco os dedos com este alicate, se você não explicar tudo direitinho – e Bocão encostou o alicate no nariz de Mixaim enquanto os dois investigadores agarravam a mão direita dele e a imobilizavam. Bocão segurou o dedo mindinho com o alicate e começou a apertar. O negro gemia e Bocão não dava atenção, insistindo em saber:

— Quando você chegou na janela do quarto, o que foi que viu?

Ao abrir os olhos e dar com Mixaim na janela, Lucimar tomou um susto e sufocou um grito com as próprias mãos.

— Sou eu, D. Lucimar.

Ela puxou os lençóis até o pescoço, cobrindo a sua seminudez e perguntou, tentando controlar a voz:

— O que é que você está fazendo aqui, Mixaim?

— Foi Betinho que me mandou.

— Ele foi solto?

— Não senhora. Ele fugiu. A polícia tá querendo "apanhá" ele. Ele vai se esconder, mas antes quer falar com a senhora.

— Onde ele está?

— Tá no matagal aí atrás da vila. Pediu pra senhora ir lá depressa, antes que a polícia chegue. Mandou eu vir buscar a senhora.

— Está bem. Espera na porta dos fundos que eu já vou.

Mixaim desapareceu da janela e Lucimar, instintivamente, pulou da cama e a fechou, depois, só de sutiã e calcinha caminhou até uma cadeira onde um vestido estava estendido. Vestiu-o apressadamente e nem sequer sentou-se para calçar os sapatos. Enfiou-os nos pés e levantou a perna esquerda para passar a alça por trás do calcanhar. Encostou-se à tosca mesinha de cabeceira para fazer a mesma coisa com o sapato do pé direito.

Lá fora o negro Mixaim viu qualquer coisa brilhar no meio do matagal. Apurou a vista e pôde ver o "turco" Farah examinando a navalha. Fez um sinal irritado para que o outro se escondesse e continuou aguardando, na porta dos fundos. Encostou o ouvido à madeira para verificar se Lucimar se apressava. O silêncio dentro da casa era total e Mixaim começou a se enervar.

Lucimar, ao encostar-se à mesinha, vira sobre ela os brincos que Betinho tinha comprado logo depois da lua-de-mel, quando voltaram de Paquetá. Falou mais alto a vaidade feminina e ela, antes de sair, apanhou os brincos e foi para diante do espelho rachado colocá-los.

Enquanto ajeitava os cabelos, pensava como tudo mudara desde aquele tempo. Betinho fora atencioso e galante. Vivia inventando maneiras de fazê-la sorrir.

— Gosto de te ver assanhada, Gatinha — e abraçava-se a ela para longos beijos.

Nas primeiras semanas ela nem se preocupara em perguntar qual a espécie de trabalho do marido. Fora tudo tão rápido! Na verdade, nem ficaram noivos. Ademais, de que maneira? Ela não tinha ninguém a quem Betinho fosse pedir sua mão em casamento e ele também não tinha parentes a quem valesse a pena apresentá-la como noiva. Pelo que lhe contara, tinha alguns parentes distantes no interior de Minas e uma irmã casada em São Paulo, com a qual não se dava porque ela queria governar sua vida.

Já na primeira vez que saíram juntos, Betinho convidou-a para ir dormir com ele num hotel. Lucimar recusara e demonstrara até um certo medo dele, mas Betinho sentiu sua precipitação e desconversou. Depois do terceiro ou quarto encontro, porém, tornou-se tão insistente que ela achou melhor não se encontrarem mais. Longe de se aborrecer, Betinho dera uma gargalhada e propusera:

— Bem... já que tu és durona, por que é que a gente não casa?

Não, Lucimar já sofrera bastante para ter veleidades de enganar a si mesma. Quando ela descobrira tudo, Betinho já não era como antes mas ainda não chegara ao ponto em que chegou. A verdade é que, até ali, Lucimar ainda não pensara no erro que cometera, casando-se com ele. Foi depois da noite em que ele chegou nervoso e irritado. Nem ao menos se dera ao trabalho de esconder que tivera complicações com a polícia. Estava tão fora de si que ela achou melhor não perguntar mais nada. Na manhã seguinte, quando pendurava a roupa no armário é que encontrou as listas de bicho. Betinho não lhe deu tempo nem de raciocinar. Estava a observá-la, e quando ela apanhou as listas e viu do que se tratava, levantou-se e arrancou os papéis de sua mão, a gritar:

— Sou bicheiro sim. E daí?

Deu-lhe um bofetão tão violento que ela foi de contra o espelho, rachando-o.

— Agora vai me denunciar à polícia, sua besta — e saiu do quarto como uma fera.

Que injustiça aquilo. Sua única reação fora chorar e nem de longe lhe passou pela cabeça a idéia de denunciá-lo. Naquela manhã, Lucimar acusava a si mesma e não a ele.

Mas depois foi diferente. O espelho rachado refletiu o rosto angustiado de Lucimar, enquanto ela ouvia as unhas do negro Mixaim arranhando a porta dos fundos, tentando abri-la.

Correu para lá gritando:

— Não, Mixaim, não. Betinho quer me matar...

4

Betinho comprou a ficha na caixa mas não se dirigiu imediatamente ao balcão. Esperou que o bar estivesse momentaneamente vazio e só então dirigiu-se para o lugar onde Lucimar descansara o bule, aguardando novos fregueses. Ela colocou uma xícara sobre o balcão e Betinho puxou conversa:

— Você sabe, Gatinha, café me bota nervoso. Este é o segundo café que eu vou tomar em menos de dez minutos. Assim eu acabo neurastênico.

Lucimar achou graça no pretexto que ele arranjou para falar com ela, mas ficou calada; puxou o açucareiro e colocou perto dele, para que se servisse.

— Por que você não mexe o meu café com o seu dedinho? Garanto que vai ficar mais doce que todo esse açucareiro.

— O senhor prefere sem açúcar?

— Eu vou ter que tomar este café?

— O senhor comprou a ficha, não foi?

— Mas foi pra falar contigo, Gatinha.

— Pra falar comigo não precisa ficha.

— Ótimo. Já fiz uma economia. Quando eu sair, devolvo a ficha na caixa... Olha, a que horas você pula este balcão para o lado de cá?

Lucimar riu e Betinho não perdeu tempo:

— Diz, camaradagem... a que horas você deixa o serviço? Se você não disser eu vou ficar aqui tomando café até você sair. E aí eu já estou tão nervoso que a gente vai direto pro hospício.

— Ué... eu também?

— Claro. Daqui por diante você só vai aonde eu for.

— Ah é? E eu posso saber aonde o senhor vai?

— O senhor não. Você... Meu nome é Alberto. Mas como você já está passeando de *baby-doll* na intimidade do meu coração, pode me chamar de Betinho.

E, antes que Lucimar fizesse qualquer observação:

— O meu plano é muito simples. Você me diz a que horas se livra desse conta-gotas (e apontou para o bule). Aí eu venho te buscar e a gente foge.

— Foge? Foge pra onde?

— Pra um lugar que só eu sei... deserto, que só vendo. Mas vamos só nós quatro: eu, minha cantada, você e sua boa vontade, tá?

Betinho tanto insistiu com Lucimar que ela concedeu em dizer a hora em que deixava o trabalho. Ela recordava-se bem desse dia porque resolvera não ir à aula de datilografia. Não juntara o dinheiro suficiente para pagar a quinzena, ficara com vergonha só de pensar. Se a secretária do curso viesse cobrar e ela tivesse que dar uma desculpa...

Lucimar sempre fora assim. Foi a sua maneira de ser, a sua intransigência contra tudo que não obedecesse a uma perfeita retidão de honestidade que a levara a denunciar Betinho à polícia. E dessa vez, talvez mais do que nunca, estava agindo certa de sua honestidade. Sua intenção era regenerar Betinho, era fazer dele um pai digno de seu filho. A vida irregular do marido já era um tormento constante para ela. Pouco depois de ter a certeza de que estava grávida, Betinho revelou de maneira tão intempestiva a sua verdadeira atividade! Lucimar quase enlouquecia de pensar naquilo. Foi então que resolveu denunciá-lo à polícia; era para o bem dele e de todos. Voltaria para casa recuperado e seu filho não seria o filho de um marginal, um contraventor, um bicheiro.

Mas isto foi muito tempo depois.

Naquela tarde, depois que Betinho saiu do bar, prometendo voltar às 7 horas para apanhá-la, meditou muito no que estava fazendo, examinou a situação sob todos os prismas e chegou à conclusão de que não havia mal nenhum em aceitar o seu convite para um passeio, um jantar ou algo assim. Não estava certa das intenções do rapaz, mas tinha confiança em si mesma. Ela sabia o que queria.

De resto, sempre soube. Aos 12 anos, quando viera morar no Rio, já pensava com mais cabeça do que qualquer das moças mais velhas que conheceu na grande cidade. Conseqüência dos alicerces de uma educação que lhe impunha o Tio Pedro, o irmão de sua mãe que queria ser padre e estudava no seminário de Mariana. Todos diziam que ele era um santo e Lucimar queria ser como ele, que a ensinara a ler, a escrever, incutira-lhe o amor à justiça e à firmeza de caráter. Muito criança ainda, ela aprendera a não tergiversar, o resto, a vida difícil no ambiente hostil lhe ensinou, transformando-a numa mulher intransigente, escondida naquela moça simples e de aparência dócil.

O pavor, o quase pânico que sentiu, ao sair do bar e encontrar Betinho na esquina! Mil vezes, naquela tarde, dissera a si mesma: "veja bem o que você vai fazer", mil vezes se explicara. E quando se aproximou dele, a naturalidade com que lhe segurou no braço e disse:

— Vamos...

...aterrou-a. Mas Betinho, nesse tempo, pelo menos para ela, não era ainda o bandido que ela mesma apontara à polícia e que fugira da prisão e agora rondava a casa, para matá-la. Nesse tempo ele era o rapaz que segurou seu braço e foi caminhando pela Praça Mauá, perguntando se ela queria ir a um cinema.

5

Bocão aproximou-se mais uma vez da cadeira onde Mixaim mal se continha sentado:

— Você fez tudo sozinho, Mixaim. Você esperou que Betinho saísse de casa, entrou lá e quis pegar a moça à força, ela gritou e você matou-a. Depois esperou que escurecesse e jogou-a no matagal. Diga: não foi isso?

E Bocão sacudiu o ombro de Mixaim, cujo corpo começou a escorregar da cadeira para o chão. Um dos investigadores sustentou-o e colocou Mixaim sentado outra vez.

— Não adianta, Bocão — disse ele: — Está desmaiado novamente.

— Amarra o corpo na cadeira e vamos descansar um pouco. Quando nós voltarmos ele confessa o que a gente quiser.

Bocão deu a ordem, apanhou o paletó que estava pendurado num cabide no canto da sala e foi saindo. Atravessou um longo corredor mal iluminado e abriu outra porta, do outro lado. O barulho que vinha da sala de espera do comissário invadiu seus ouvidos. Bocão passou também por essa sala, onde um monte de pessoas se amontoava, umas sentadas nos bancos dos cantos, outras em pé, aos grupos, conversando, contando casos, explicando coisas. Eram pessoas envolvidas em processos, testemunhas de ocorrências policiais, investigadores de folga, repórteres, etc.

Bocão não olhou para ninguém. Atravessou a sala e entrou no gabinete do comissário Agostini sem bater. Fechou a porta atrás de si e o barulho quase que sumiu por completo. Agostini estava no telefone, com ar preocupado.

— Mas sem dúvida alguma, seu Generoso — dizia ele balançando a cabeça, como se o aparelho pudesse ser testemunha de que ele concordava com a pessoa que estava do outro lado da linha. Bocão percebeu logo que Agostini falava com o banqueiro Generoso. Quando o comissário levantou a cabeça para ele, esticou o lábio inferior e tomou um ar preocupado também, a demonstrar que já sabia com quem Agostini falava.

— Claro que estamos investigando... estas coisas são assim mesmo... Sim, li... todos os jornais. Os repórteres não me largam... O senhor manda... Já deve ter confessado sim. Pois não. O senhor será informado. Um abraço.

Desligou o telefone e perguntou a Bocão:

— Como é, o cara deu o serviço?

— Ainda não.

— Mas como? — perguntou o comissário, alteando a voz mas logo olhando para a porta e baixando o tom, ao lembrar-se que os repórteres estavam do outro lado da parede. Passou a falar mais baixo, mas sem esconder a preocupação que a informação de Bocão lhe causara:

— Eu sei de fonte limpa que esse tal de Mixaim estava na curra. Obrigue esse merda a falar, homem. Você não acabou de ouvir o Generoso reclamando? – e apontou para o telefone. – Os jornais estão berrando, falando em corrupção na polícia. Ele está uma fera, já mandou o advogado tirar Betinho daqui. Quer a confissão do crioulo hoje, agora... está entendendo? Agora – e batia com os nós dos dedos na mesa, desabafando para cima do subalterno toda a raiva contida durante o pito que o bicheiro lhe passara.

E, com a voz sufocada pela torrente de palavras que dissera, deu a ordem:

— Baixem o cacete no crioulo que ele fala.
— No momento não adianta, chefe. No momento ele não fala nada.
— Hem?
— Ele está desacordado.
— Hem? O quê? – Agostini esbugalhava os olhos como querendo ver para crer: – Desacordado? Mas ele é a nossa salvação e você quer matá-lo? Eu quero que você me consiga uma confissão e não um cadáver... Você... você... – Agostini engolia os argumentos, roxo de apoplexia.
— Calma, chefe – falou Bocão, serenamente: – O negro não morre. Apenas está descansando um pouquinho. Nós vamos voltar dentro de alguns minutos para lá e ele já está tão afinado que confessa até que foi ele quem matou Kennedy.
— Você sabe, ao menos, o que está me dizendo? – Agostini pareceu mais calmo.
— Hum-hum – assentiu Bocão e, caminhando para a porta: – Tão certo que o senhor já pode dar uma colher-de-chá a esses fofoqueiros. Diga-lhes que a polícia já prendeu o culpado e espera a sua confissão do crime da... Como é mesmo que a imprensa apelidou essa curra?
— A moça do matagal.
— Isto... diga que a polícia resolverá ainda hoje o crime da... da moça do matagal.

Botou a mão na maçaneta da porta e perguntou:
— Tá?

O comissário concordou, Bocão abriu a porta e disse, para os repórteres da ante-sala:

— Senhores, o comissário Agostini tem uma boa informação a lhes dar.

Um monte de repórteres e fotógrafos se precipitou em direção à porta, entrando por ela, enquanto Bocão tomava o sentido contrário, para voltar à sala de interrogatório.

— Quem é o assassino?
— Prenderam o criminoso?
— Quem é ele?

As perguntas choveram sobre o comissário Agostini, que acabara de adotar um ar complacente para atender os representantes da imprensa.

— Por favor, senhores. Um de cada vez — Agostini sentado na borda de sua mesa, acendeu um charuto e aguardou um silêncio relativo para falar:

— Os senhores sabem que a polícia não dorme. Ontem à tardinha prendemos um cidadão que estava bêbado e fazendo arruaça num café da Rua Carolina Machado. Já tínhamos informações seguras de que esse cidadão estava envolvido no assassínio da Sra. Lucimar Barroso.

— Ele está envolvido ou é o criminoso? — perguntou um repórter magricela, de rosto espinhento.

— Provavelmente é o criminoso. Fizemos diligências no local do crime e chegamos à conclusão de que o criminoso era um só.

— Mas nas primeiras diligências a polícia concluiu que deviam ser uns dois ou três, pelo menos.

Todos os outros repórteres concordaram com a observação, feita pelo secretário da página policial de um matutino de grande circulação e, por isso mesmo, considerado ali naquela rápida e indisciplinada assembléia, como figura importante.

O comissário olhou para ele quase com raiva:

— A polícia tem direito de tirar quantas conclusões quiser até chegar à verdade, meu velho.

— Quem é esse suspeito nº 1? — voltou a perguntar o de cara espinhenta.

— Ainda não posso revelar seu nome para não prejudicar as diligências. No momento oportuno os senhores terão permissão para vê-lo, se quiserem. Agora é impossível, ele está sendo interrogado.

— Está sendo interrogado ou espancado?

A pergunta viera de um mulato magrela como o espinhento. Só que um pouco mais alto e com jeito de gozador.

Agostini ficou ofendido:

— O senhor respeite minha autoridade. Eu posso prendê-lo por desrespeito e posso processá-lo por calúnia. Nesta delegacia nunca usamos de recursos ilícitos para obter uma confissão.

— Ele está brincando, doutor — disse alguém e Agostini agarrou-se logo à desculpa, para encerrar a entrevista.

— Estou certo que a maioria dos senhores sabe que eu não admito espancamentos, pois já me conhecem bem... E agora, por favor, meus amigos, me deixem trabalhar que eu estou cheio de serviço. Podem publicar isto por minha conta: dentro de 24 horas a polícia resolverá o caso da moça do matagal.

Comentando baixinho, resmungando dúvidas, os repórteres e fotógrafos foram saindo do gabinete do comissário Agostini.

6

Lucimar, com as mãos sobre os lábios, para reprimir um grito, de olhos arregalados, viu Mixaim arrombar a porta e, com o impulso que dera contra ela, entrar aos trambolhões pela cozinha, quase caindo ajoelhado junto dela.

— A senhora está louca, D. Lucimar? Quem quer matar a senhora?
— Betinho — disse ela num sussurro: — Ele veio para me matar.

Mixaim botou a mão sobre o seu ombro, para ganhar sua confiança, como um campeiro que alisa o cavalo antes de lhe deitar o cabresto sobre o lombo.

— Como "qui" a senhora pode pensar isso dele? Betinho fugiu, vai ter que se esconder... se arrisca vindo aqui para se despedir... e a senhora — Mixaim olhou em volta, como a buscar argumentos para levar Lucimar até o matagal.

Era a sua missão. Seu Generoso mandara que ele levasse D. Lucimar até o matagal. Farah e Abel iriam currá-la, ele também poderia se aproveitar. Scu Generoso permitira, com toda aquela raiva que estava de D. Lucimar, dissera a ele, Mixaim, que se aproveitasse bastante:

— Façam o que quiserem com ela. Mas não esqueçam de dizer que fui eu que mandei. Que é pra essa puta nunca mais se meter com meus homens.

O banqueiro Generoso ficara uma fera quando soubera que Betinho — um dos seus melhores homens — estava preso. Estavam todos na sua principal "fortaleza" de Madureira, iniciando a corretagem de apostas, quando Abel chegou com a novidade:

— Betinho foi preso pela turma da ronda do comissário Agostini.
— O quê???

Generoso não acreditava que Agostini tivesse peito para prender Betinho. Telefonou pessoalmente para o comissário e, ao ouvir o que Agostini lhe contou, ficou mais furioso ainda:

— Escuta, Agostini: eu lhe pago para que proteja meus homens ou é para você prendê-los e tirar onda de honesto para essa corja da imprensa? — a pergunta escapara de sua boca com voz sibilina, denotando a raiva que mal conseguia conter.

Agostini procurou acalmá-lo:

— Sinto muito, mas eu não poderia fazer outra coisa. A mulher dele esteve aqui na minha sala, na frente de várias testemunhas, e dedo-durou ele... foi logo dizendo que o marido era bicheiro. Trouxe várias listas de bicho que confessou ter tirado do bolso dele...

— Mas como...

— As listas, felizmente, eu já dei sumiço nelas. Mas ele eu tive que deter para averiguações.

— Essa vagabunda! — foi tudo que conseguiu dizer Generoso.

— Vamos ver o que se pode fazer. De qualquer maneira ele vai ter que ficar aqui uns dias.

— Quanto tempo?

— Alguns dias, eu creio... Mande seu advogado telefonar para minha casa. Dá-se um jeito.

Generoso bateu o telefone com ódio. Chamou Mixaim porque sabia que o crioulo conhecia a mulher de Betinho e ia muitas vezes em sua casa. Ele mesmo já se servira de Mixaim para mandar recados a Betinho. Chamou Abel e Farah — dois dos seus homens nos quais podia confiar — e foi logo explicando.

— Betinho foi traído pela mulher.

Os três se entreolharam.

— Ela foi pessoalmente à delegacia acusá-lo de contraventor. Essa prostituta é um perigo para nós todos e precisamos dar uma lição nela. Mas uma lição firme, que é pra ela não esquecer nunca mais.

Pelo seu rosto passou como que um vislumbre de luz. Alguma coisa passara pelo seu pensamento e se refletia em seu rosto. Olhou para Farah:

— Turco, você ainda tem aquela navalha?

Como naquela tarde em que conhecera Betinho, Lucimar passara a manhã toda pensando na atitude que ia tomar. Eram quase 11 horas quando ele chegou bêbado, cambaleante, com o paletó debaixo do braço, a gravata de laço aberto, e cuspindo para os lados, como fazia sempre que abusava do álcool. Deu um pontapé na porta e entrou.

Lucimar estava sentada à mesa redonda que ficava no centro da sala, com um tacho de barro no colo, descascando batatas. O susto que tomou com a entrada intempestiva do marido, quase a fez saltar da cadeira, derrubando o tacho. Ficou parada, olhando para ele.

Betinho atirou o paletó sobre uma cadeira e cuspiu no assoalho:

— Que é? Estou bêbado sim, e daí?

— Eu não disse nada — respondeu Lucimar.

— Não disse mas pensou. Para mim é a mesma coisa — e tornou a cuspir.

Lucimar colocou o tacho em cima da mesa e levantou-se. Sua intenção era ir buscar um pano na cozinha para limpar o chão cuspido. Betinho, no entanto, deu-lhe um empurrão que a fez cair sentada outra vez na cadeira:

— Eu faço o que eu quero, está ouvindo? Se eu quiser beber eu bebo, se eu quiser trepar com outra eu trepo. Morou? Você já me encheu, tá bem? — e ia cuspir outra vez, quando Lucimar respondeu:

— Ao menos pare de cuspir no chão.

Betinho olhou-a surpreso e com raiva:

— Quer que eu te cuspa na cara? Quer? — e fez menção de dar-lhe uma bofetada.

Lucimar desviou a cabeça e a mão dele passou de raspão pelo seu nariz. O impulso do braço desequilibrou-o e ele cambaleou de novo, mas aprumou-se a tempo e, já de costas para ela, caminhou em direção ao quarto, rindo o riso fácil dos embriagados.

Lucimar ouviu o ranger da cama, quando ele deixou-se cair sobre ela. Sabia o que ia acontecer; o que vinha acontecendo havia tempos. Ele dormia algumas horas (às vezes não dormia nem uma hora), levantaria de mau humor. Os melhores dias eram aqueles em que ele se levantava sem nem olhar para ela e saía logo para se encontrar com os outros bicheiros.

Ela apanhou o paletó que ele deixara sobre a cadeira e revistou-o. Tirou algumas cédulas amassadas de um dinheiro sujo e velho, colocou no bolso do avental. Continuou procurando e encontrou algumas listas de bicho, num dos bolsos de dentro.

Examinou-as com cuidado, depois foi até o quarto e colocou o paletó sobre as costas de uma cadeira. Olhou mais uma vez para Betinho e percebeu que ele já dormia a sono solto. Colocou um pano na cabeça e as listas de bicho na bolsa. Saiu sem fazer barulho.

Só conseguiu ser atendida depois de já estar sentada naquela sala há uma hora. Um guarda fez-lhe sinal. Ela levantou-se e entrou na sala do comissário Agostini.

— Em que posso servi-la, minha senhora? — quis ele saber, apontando-lhe uma cadeira, delicadamente.

Era para o bem de Betinho. Tinha certeza de que agindo assim iria regenerá-lo. Mesmo com uma porção de pessoas ali, algumas inclusive parecendo interessadas na sua presença, tomou fôlego e disse:

— Vim fazer uma denúncia. Meu marido é bicheiro.

7

Mixaim estava sentado na ponta da cadeira, com os braços apoiados nas coxas, o corpo vergado para a frente e a cabeça baixa. O suor que escorria de seu rosto misturava-se ao sangue que brotava dos ferimentos e, em sulcos brilhantes ora mais ora menos iluminados pela lâmpada que pendia do teto e balançava perto dele, desciam até o queixo e pingavam no chão. A porta da sala de interrogatório se abriu e Bocão entrou, acompanhado de um dos investigadores. O que ficara ali, tomando conta de Mixaim, olhou para os recém-chegados, mas o negro nem se mexeu, mantendo a posição a que a estafa o obrigara.

— Pronto! — exclamou Bocão — aqui está seu depoimento e a confissão. Basta assinar.

Como se tivesse combinado os movimentos, um dos investigadores suspendeu a lâmpada, o outro levantou a cabeça de Mixaim, que teve um leve sobressalto, e Bocão colocou o papel à sua frente, sob a luz.

Mixaim correu os olhos pelas primeiras linhas e já avidamente percorreu as do meio. Antes mesmo de ler o final do depoimento, o pânico voltou ao seu rosto inchado:

— Não foi isso que eu contei! Eu não estava sozinho! Abel e Farah estavam lá... Eu não planejei nada. Foi seu Generoso que...

Seu protesto foi cortado pela ponderação de Bocão:

— Quer ficar morando aqui pra sempre, metendo Generoso nisto? Ou prefere que ele te ajude?

Uma esperança pareceu animar Mixaim:

— Seu Generoso já sabe que eu fui preso?

— Claro que sabe. Já deve estar providenciando advogado — a voz de Bocão era contida, o policial procurava ser persuasivo: — Mas se você se considerar culpado, é claro. Ou você acha que ele te ajuda se você acusar ele?

— Mas não foi assim como está aí... Não foi.

— Já não interessa mais saber como foi, seu burro. Interessa a melhor maneira deles poderem te ajudar. Tu não compreende isto não?

— Seu Generoso falou pra eu assinar?

— Lógico.

Mixaim apanhou a caneta que um dos investigadores lhe estendeu. Sua mão tremia e seus olhos piscavam para fixar a vista. Uma outra cadeira foi colocada à sua frente e o papel estendido nela. Mixaim vergou mais o corpo e assinou vagarosamente, com sua letra rebuscada de bicheiro, com sua caligrafia de semi-alfabetizado.

— A barra tá limpa aí no corredor — disse Bocão, enquanto examinava a assinatura, com ares de entendido: — Levem o acusado à enfermaria.

Os dois investigadores — um de cada lado — levantaram Mixaim, cujas pernas bambas não queriam sustentar o corpo. Cambaleou e ia caindo. Os investigadores fizeram mais força e conseguiram suster seu corpo. Um deles olhou para Bocão:

— Tem ninguém não. Pode arrastar.

Os investigadores esperaram que Bocão abrisse a porta e foram arrastando Mixaim sala afora. Ao transporem a porta, ele levantou um pouco a cabeça para dizer num sussurro, quase num gemido:

— Não foi assim não. Não foi!

Mixaim conseguira ficar até jovial. Enquanto Lucimar olhava para ele de olhos arregalados, encolhida num canto da cozinha, apanhou displicentemente uma banana do cacho que estava num prato, no centro da mesa, descascou-a e comeu, enquanto falava:

— Eu conheço ele, D. Lucimar. Se a senhora não for lá fora, ele vem aqui e aí sim, a senhora pode se considerar culpada da prisão dele.

— Ele não está zangado?

— Zangado? Se ele tivesse zangado não vinha se despedir da senhora, uai!

Lucimar ficou pensativa um instante e ele se aproveitou de sua indecisão. Colocou a casca da banana na mesa, caminhou até a porta e disse:

— Passe, dona... Eu dou um jeito de fechar isso.

Lucimar rodeou o quintalzinho e saiu pela picada em direção ao matagal, sentindo a guarda que Mixaim exercia sobre seus movimentos. Caminhava devagar, com um pressentimento a frear-lhe os passos.

— Mais depressa; nós num tem muito tempo não... é logo ali...

Lucimar começou a caminhar no meio do matagal e estancou de repente, certa de que fora enganada. Sentiu o empurrão que Mixaim lhe deu e perdeu o equilíbrio, mas uma mão forte tapou-lhe a boca antes que pudesse gritar. Ela ainda teve tempo de reconhecer Abel e sentir que havia uma terceira pessoa por perto, mas jogaram um monte de terra em seus olhos e não pôde ver mais nada. Um lenço era fortemente atado à sua boca e o grito que tentou dar, quando a mão de Abel escorregou por seus lábios para ser substituída pelo pano, transformou-se num abafado gemido.

Lucimar não via mas sentia. Mesmo debatendo-se com todas as suas forças, não pôde impedir que um deles lhe arrancasse o vestido, enquanto os outros a seguravam como garras possantes e invencíveis.

— Tire a calcinha também — disse o desconhecido. E a mão implacável que acabava de arrancar seu sutiã, enterrou as unhas dolorosamente em seus quadris para puxar suas calças. Lucimar tentou cruzar as pernas para impedir que as calças descessem, mas um dos lados se rompeu e a mão correu para o outro lado, puxando com tanta força que ela sentiu os pedaços dilacerados da fazenda correrem entre suas coxas, deixando-a completamente nua.

— Quem "qui" vai primeiro? — perguntou Mixaim, e antes que ela compreendesse a pergunta que ele fizera, sentiu um corpo ávido estender-se sobre a sua nudez.

Então era isso? E Lucimar debateu-se o quanto pôde, sentindo pedras e gravetos do chão irregular arranharem suas costas até que um violento soco, muito mais violento que os tapas de Betinho, tirou-lhe momentaneamente os sentidos.

Quando começou a perceber que as forças lhe voltavam, percebeu também que Mixaim se servia de seu corpo como um porco, resfolegando sobre seu rosto e terminando por dar um gemido de gozo que repercutiu dolorosamente em suas entranhas.

— Pronto... agora deixa eu sangrar essa vaca.

Lucimar identificou a voz do terceiro homem que a currava, notou que Mixaim se levantava e que ninguém a segurava. Fingiu que continuava desacordada e, quando pressentiu que Mixaim se levantara, deu um pulo com todas as forças que conseguiu reunir, ajoelhando-se no chão e abrindo os olhos arranhados pela terra. Viu e reconheceu Farah no terceiro homem, que caminhava para ela com uma navalha aberta. Alucinada de dor e ódio, reconheceu também o objeto a pouca distância, o revólver que um deles devia ter tirado da cintura para melhor se servir dela. Pulou em sua direção ao mesmo tempo em que a navalha de Farah luzia na semi-escuridão.

Caiu de bruços com a mão perto da arma, mas seu esforço fora inútil; dois tiros soaram e ela sentiu como que duas chicotadas nas costas. Sua cabeça foi repousando lentamente sobre o braço direito estendido no chão e um calor bom começou a envolver esse braço. Um calor que contrastava agradavelmente com o frio que sua nudez provocava, um calor que ela não percebia, mas era provocado pelo sangue abundante que escorria do imenso corte aberto pela navalha em seu rosto.

Lucimar notou que um deles apanhava o revólver ao seu lado e se juntou aos outros dois. E lá iam os três correndo lá longe... graças a Deus... graças a Deus... graças a...

8

Benedito da Conceição, vulgo Mixaim – dizia o comissário Agostini aos repórteres amontoados em torno de sua mesa, enquanto os *flashes* iluminavam o seu rosto.

– Ouvi dizer que ele foi preso por acaso – disse um dos repórteres.

– Não foi bem assim – contestou Agostini – ele já era o nosso suspeito número um, quando foi preso numa arruaça, num botequim da Rua Carolina Machado. Interrogado pelo detetive Martins, que é um dos meus melhores homens e que eu tinha escalado para as diligências...

– O Bocão, né? – perguntou outro repórter,

– Ele mesmo. É um dos meus melhores homens. O interrogatório nem precisou ser muito longo. O suspeito contou tudo. Cometeu o crime porque queria se vingar de um ex-parceiro de bicho, um tal de Betinho, que era o marido da vítima.

– Mas esse Betinho não está preso?

– Estava preso para averiguações. A princípio julgamos que ele fosse o criminoso. Segundo os vizinhos, o casal brigava muito. Ele podia perfeitamente ter assassinado a mulher, jogado no matagal e criado todas aquelas pistas falsas, para baratinar a polícia.

Agostini deu todas as informações que os repórteres pediram e esperou que eles fossem embora para chamar Bocão. Mal o detetive entrou na sua sala, perguntou se Betinho já tinha sido libertado e, ante a resposta afirmativa, pegou o telefone e ligou para Generoso:

– Quem deseja falar com ele? – perguntou a voz do outro lado.

– Diga-lhe que é Agostini.

– Um momento!

Generoso, refestelado numa poltrona do seu escritório, estava rodeado de vários capangas. Pegou o fone, virou a chave de ligação que isolava o aparelho das outras extensões e atendeu. Falou muito mais tranqüilamente com Agostini do que da última vez. Só se irritou quando o comissário perguntou se seu advogado ia se interessar por Mixaim:

– O quê? – berrou incontinente: – De maneira nenhuma. Bota esse crioulo em cana pro resto da vida, pra deixar de ser safado.

Mas logo mudou de entonação, ouvindo o que o outro dizia:

– Pode deixar que eu mando providenciar.

Desligou o telefone e, virando-se para Betinho, que estava sentado num sofá ao lado de Abel, falou com ar paternal:

– Betinho, o corpo da moça continua no Instituto Médico Legal. Não foi reclamado por ninguém – e tirando um molho de chaves do bolso, jogou-o na direção de Betinho, ordenando:
– Pegue o carro e vá lá.
Betinho pegou as chaves no ar.
– Identifique-se como o marido da morta – propôs Generoso – faça a coisa com jeito. Quero um enterro de primeira.
Sorriu com sinceridade e concluiu:
– Ela merece!

A Desquitada da Tijuca

1

"Esse gorducho vai encostar a sua barriga nojenta em mim durante a viagem toda", pensou Marta, tentando mais uma vez conseguir um pequeno espaço entre a sua bem torneada anca e a barriga do passageiro gordo que viajava ao seu lado, em pé, no ônibus. O homem olhava-a de olhos vidrados, inclementes e pedintes, um incômodo olhar que Marta, com o que lhe restava de senso de humor, mentalmente classificou de "olhar de badejo de geladeira".

— Um pouco mais à frente, por favor — gritou o trocador, quando o ônibus parou e mais um lote de passageiros entrou naquele pequeno espaço onde parecia não caber mais ninguém.

O ônibus pôs-se novamente em movimento e o solavanco da partida atirou os passageiros uns contra os outros. Marta foi involuntariamente de encontro à barriga do gordo, que abriu-se num sorriso obsceno. Ela virou o rosto contrariada e seu olhar cruzou com o do homem suarento que estava em pé entre dois bancos próximos, tendo à sua frente uma velhota baixotinha, carregada de embrulhos. O homem piscou para ela, sem a menor cerimônia. Marta baixou os olhos resignadamente e esperou a próxima parada, onde — felizmente — deveria saltar.

O ônibus manobrou pela Praça Saenz Peña e parou rente à calçada, derramando um monte de pessoas, entre as quais Marta e o homem suarento, que a seguiu alguns metros, dizendo-lhe gracinhas e fazendo propostas que mereciam como resposta — no mínimo — um sonoro e bem aplicado bofetão. Marta parou diante dos cartazes de um dos muitos cinemas da praça e o homem ficou indeciso entre parar ao seu lado ou seguir o seu caminho sem chamar a atenção. Acabou optando pela segunda atitude, já que o jeito dela era de quem ia arremessar-lhe a bolsa na cara.

Livre de seu perseguidor, que parou na esquina seguinte e ainda a observava, enquanto passava um lenço pela testa, Marta caminhou mais alguns passos e entrou no grande edifício à sua esquerda. Soubera por

Gilberto que ali, no sétimo andar, aceitavam inscrições para senhoras e senhoritas entre 18 e 30 anos, que desejassem ser recepcionistas na grande feira industrial que o governo do Estado programara para dali a alguns meses.

Marta Ferreira, 27 anos, uma filha de 9, um pequeno apartamento de fundos numa rua transversal da Tijuca, um ex-marido, uma vida chata.

Lançou-se do elevador pelo corredor do edifício e logo deu com o balcão de informações, onde um funcionário acabara de atender a uma mocinha. Esta afastou-se do balcão ao mesmo tempo que Marta se aproximava.

– Boa-tarde.
– Boa-tarde, minha senhora.
– Por favor... É aqui que se faz inscrições para...
– Para recepcionista da Feira Industrial – interrompeu o funcionário, solícito: – É aqui mesmo, minha senhora. A primeira providência é o preenchimento de uma ficha. É a senhora mesma a candidata?
– Sou sim.
– Perfeitamente – concordou o funcionário, apanhando uma ficha e colocando-a sobre o balcão, disposto a preenchê-la: – Seu nome, por favor.
– Marta Ferreira.
– Residência?
– Rua Dona Delfina, 19 – apartamento 302.
– Aqui mesmo na Tijuca, não? – perguntou ele enquanto escrevia.
– É sim...
– Tem telefone?
– 58-1153.
– Sua idade, por favor.
– 27 anos.
– Brasileira?... do Rio?
– Sim.
– Estado civil?
– Desquitada.

O funcionário parou de escrever e levantou os olhos, despindo-a vagarosamente.

– É só? – perguntou Marta, visivelmente incomodada.
– É sim, beleza – respondeu o funcionário, com um sorriso meloso a escorrer pelos cantos dos lábios.

Marta virou as costas para retirar-se mas – súbito – mudou de idéia. Virou-se novamente para o balcão, apanhou a ficha num gesto rápido e dispôs-se a caminhar no rumo dos elevadores.

— Hei... — exclamou o homem: — Deixa a fichinha aqui.

Marta virou-se de novo: — Vá à merda.

...e caminhou resoluta, enquanto picava a ficha em pedacinhos.

Na verdade não chegara a pronunciar o palavrão; apenas um movimento de lábios, mas já se arrependia do que dissera (ou quase dissera). Fora um extravasamento, uma ação impulsiva, causada por semanas e semanas de provocações, sentindo a necessidade de se impor a si mesma e se impor aos olhos dos outros, mas em troca recebendo apenas galanteios fúteis, propostas imorais e o mesquinho desrespeito pela sua situação de mulher desquitada.

Saiu do edifício fazendo força para não chorar e a claridade da praça deixou-a um pouco tonta. Não caminhara ainda dois passos na calçada, quando sentiu um vulto se aproximar e alguém pegar o seu braço.

— Como é? Fez a inscrição?

— Gilberto! Que susto você ia me dando.

— Que cara é essa?

Marta tentou disfarçar, tentou sorrir, mas Gilberto já percebendo a sua perturbação: — O que foi que houve?

— Não houve nada. Ou por outra, houve o de sempre. O funcionário que me atendeu, quando eu disse que era desquitada, começou logo a se fazer de assanhado; eu já não agüento mais isso. Larguei tudo e vim embora...

— Calma, companheira... Você está queimando óleo demais. Vamos até ali tomar um sorvete e baixar essa temperatura.

Marta foi caminhando ao lado do amigo e vizinho em direção ao Café Palheta, enquanto dizia que não podia demorar. Duas amigas prometeram visitá-la antes do jantar. Gilberto, porém, caminhava resoluto explicando que passara ali justamente porque ela dissera que iria inscrever-se àquela hora. Sua intenção era comemorar a possibilidade dela ser aceita como recepcionista da feira industrial com um sorvete monstro, um bruto sorvetão. Se tinha entrado areia nos planos dela, que não estragasse os seus. Tomariam o sorvetão de qualquer maneira e pronto.

Quando Gilberto pediu o complicado sorvete ao garçom, Marta já ria de sua explicação ao rapaz que acabou concordando em trazer dois sorvetes "com tudo que se bota em sorvete".

— E agora — disse Gilberto, fazendo-se mais sério: — Conta lá que vexames são esses que a pudica jovem tem sofrido dos trogloditas do asfalto.

— Seu bom humor simplifica as coisas, Gilberto... mas a verdade é que é difícil a uma mulher desquitada manter a dignidade nesta cidade onde cada homem parece ser um amante de plantão. Por que será que os homens pensam que toda mulher desquitada está doida para ir pra cama com o primeiro que a convida?

— Talvez porque o desquite lhes dê a impressão de que a mulher ficou sem dono.

— É... talvez seja isso. Mas eu não vejo por que uma mulher tenha necessariamente de ter um dono.

— Você se sente feliz sozinha?

— Eu não sou sozinha. Eu tenho minha filha.

— Ora, Marta...

— Sim, entendo o que você quer dizer. Mas quando eu me separei de Haroldo não foi por querer ficar sozinha. Foi por não poder mais ficar com ele, você entende?

— Claro...

— Claro? Não sei se está claro, Gilberto... Meu ex-marido foi o primeiro a não acreditar nisso — Marta sorri com mal disfarçado amargor. — Era um péssimo marido, mas nunca desconfiou disso, eu acho... Quando nos desquitamos as coisas se transformavam de dia para dia. Hoje ele queria o desquite, concordava com meus planos... no dia seguinte me ofendia com perguntas idiotas, perguntando qual era o homem que estava por trás daquilo tudo. Você é meu vizinho, Gilberto. Vizinho e velho amigo da família, sabe melhor do que ninguém que não havia homem nenhum — novo sorriso de Marta. — Ele era o único homem que eu não queria que pensasse assim...

— Por quê?

— Então você não vê? Todos os homens se acham no direito de me tentar porque me consideram sem homem... Aquele que era o meu homem desquitou-se de mim convencido de que eu tinha outro homem.

— E você acha que se tivesse outro homem os homens em sua volta sossegariam seus respectivos periquitos?

Marta desta vez riu com gosto: — Sei lá... acho que sim. Veja o caso do meu chefe, na repartição: enquanto eu fui casada parecia até que eu não existia para ele. Agora, todas as tardes eu tenho que inventar uma desculpa porque o velhote quer me trazer em casa no carro dele.

— Ele está querendo a sua promoção.

— É o que dizem minhas colegas, todas unânimes em achar que eu devo ceder. Isto, pelo menos, serviria para apagar o fogo dos colegas.

Marta ficou por um momento pensativa, remexendo com a colher o sorvete que mal provara, depois deu um suspiro e pareceu acordar:

– Chi... falar em colegas, duas delas vão jantar comigo. Precisamos ir embora.

– Você nem tocou no sorvetão – observou Gilberto, apontando o sorvete de Marta com a sua colher. – Coma ao menos a cereja – e apanhou a cereja com a própria colher, colocando-a na boca de Marta...

2

— Eu adoro azeitonas! — exclamou Estelinha, colocando uma azeitona na boca a falar, enquanto mastigava.

Estelinha, uma das colegas de Marta que jantava com ela, em seu pequeno apartamento. Magrinha, feiosa, ligeiramente maledicente mas com boas intenções, no fundo. Um certo rancor contra a humanidade, experiências amorosas fracassadas, todas movidas pelo seu natural espevitamento diante dos homens, amiga inseparável de Alaíde, que vivia com J. Pereira Gomes, negociante em secos e molhados, grande comerciante e sonegador de produtos alimentícios, que lhe dava vida mansa, sólida ajuda material e uma indubitável satisfação na cama, a julgar pelos reticentes suspiros que fazia questão de salpicar no ambiente, sempre que se referia a ele. J. Pereira Gomes era casado, vários filhos em idade universitária e tinha dias certos para satisfazer a exuberante Alaíde.

— Azeitonas me engordam, mas o Gomes vive mandando latas e mais latas de azeitonas lá pra casa — disse esta, com certa inveja da magreza de Estelinha.

— Vai ver ele te quer gordinha — atalhou a outra, enquanto cortava a carne que tinha no prato.

Sentindo que a conversa ia descambar mais uma vez para o único assunto que as duas amigas debatiam com ela — homens —, Marta disse para a filha, que estava muito quieta, à mesa:

— Filhinha, você já acabou. Pode ir ver televisão.

A garota, que achava aquelas duas chatíssimas, levantou-se aliviada e com um discreto "dá licença", correu para a sala contígua para ligar a televisão, cujo som pouco depois se misturava à conversa das três.

Alaíde, vendo a menina sair, esperou que ela sumisse atrás da porta e, fazendo um sinal de cabeça em direção a ela, comentou com Marta:

— Breve você há de transferir todos os seus problemas para ela.

— É a vida — concordou Marta.

— A vida não é só isso não — garantiu Estelinha, cruzando os talheres — Você precisa deixar de ser boba, Marta. Na flor da idade, metida aqui dentro como uma condenada. Credo! — e benzeu-se.

— Gente querendo tirá-la daqui é que não falta — Alaíde fez um ar de mistério, que logo se desfez: — Ainda hoje o chefe insistiu de novo em saber coisas a seu respeito. Ele está taradinho por você...

— Tá na cara — confirmou Estelinha: — Ele está babando e boba é você de não se aproveitar. Dizem que, no tempo em que ele era chefe do

Departamento de Pessoal, teve um caso com uma das funcionárias. Até apartamento deu a ela – e, virando-se para Alaíde: – Lembra-se, queridinha... era uma ruivinha que depois casou com um tenente. Na ocasião todo mundo sabia do caso.

– Até promovida aquela sirigaita foi.

– Sirigaita ou não, soube aproveitar...

Da outra sala uma voz de locutor anunciava pela televisão: *Aproveite os bons momentos da vida, fazendo do Talco Jasmim a delícia do seu banho.*

Sentada na cabeceira da mesa, entre as duas amigas, Marta parecia assistir a uma partida de tênis, virando a cabeça ora para uma, ora para outra, enquanto elas tentavam catequizá-la para as suas teses a respeito de homem.

– Você pensa que o Gomes tem ilusões a meu respeito? Pois sim (a música da televisão fazia fundo às suas palavras)... e Alaíde continuou classificando o Gomes na ordem das coisas: – Ele não pode se queixar de mim. Me dá de um tudo, é verdade. Sempre me ajudou muito, mas se não fosse assim já teria levado um fora. Eu soube me defender e Estelinha é testemunha de que eu trabalho só para poder manter minha independência em relação a ele...

– Lógico – reforçou a outra.

– A vida de hoje é diferente, Marta... Eu, hem? Até mesmo essa coisa de ficar mal vista acabou.

– Se acabou... a ruivinha do chefe era até bajulada pelos outros funcionários. Tudo que queriam com ele, pediam a ela para arranjar. E ela nunca se fez de rogada. Quem não tem marido caça com marido dos outros...

Agora era a melosa voz de uma garota-propaganda que o alto-falante da televisão enviava para a sala de jantar: *Peça a ele, que ele lhe dá, minha amiga. É uma geladeira fabulosa.* E logo um *jingle* que falava em "maridinho é o maior" deu seqüência à fala da locutora.

– Ah... – exclamou Estelinha, dando um pulinho de alegria por se ter lembrado: – Sabe quem também vive a dizer que está apaixonado por você? O Jorge...

– Que Jorge?

– Olha a desentendida...

– Jorge Freire – ajudou Alaíde.

– O que confere as faturas do interior... Não é possível que você ainda não tenha reparado nos olhares dele...

– Claro que já reparei, mas ele perde o tempo dele. Ele tem a cara de sagüi – e Marta riu.

– Mas é um ótimo rapaz.
– Pelo menos é trabalhador.
– Isto mesmo. Não sei o que você está esperando, querida... Só na repartição há dois para escolher...

Outra vez a voz do locutor: *Com um a senhora já está se habilitando, mas com dois a senhora dobra as suas chances de ganhar este ma-ra-vi-lho-so carro.*

Elas não pareciam ouvir o som que vinha da outra sala, agora invadida por uma marcha marcial que anunciava o telejornal. O prefixo do programa de notícias tomou conta da sala, enquanto Marta juntava os pratos para levá-los à cozinha. Estelinha, que ajudava a empilhar a louça, propôs:

– Eu te ajudo a fazer o café.
– Não precisa. Já está pronto.

Alaíde ainda insistia:

– Eu, se fosse você, ficava de olho nele.

– *E agora, você... está de olho no mundo* – anunciou uma voz cuidadosamente empostada.

– Abaixa essa televisão, minha filha! – gritou Marta, encaminhando-se para a porta da pequena cozinha onde entrou, seguida de Estelinha. As duas começaram a depositar os pratos e copos sobre a pia e Estelinha, tomando um ar confidente, segredou à outra:

– O Jorge jura que você deve ter um amor secreto e por isso não dá bola pra ninguém.

3

Marta batia uma carta na máquina de escrever, alheia ao burburinho da repartição e nem percebeu quando o telefone tocou, numa mesa próxima. Uma das moças atendeu e gritou para ela:

— Marta, é pra você!

Meio espantada, ela levantou os olhos ao ouvir seu nome.

— É pra você — repetiu a colega, mostrando-lhe o fone que ainda tinha na mão. Em seguida depositou-o sobre a mesa e voltou para o seu lugar.

Marta levantou-se e sentiu que o barulho comum às repartições, barulhos de máquinas de escrever e calcular, vozes, passos, etc., diminuiu consideravelmente. Seria impressão sua ou era sempre assim? O telefone tocava raramente para ela, mas a impressão que tinha era a de que, sempre que isso acontecia, os colegas ficavam em suspense, como a querer adivinhar quem era. Nessas ocasiões ela se detestava por deixar transparecer sua confusão. Nem sequer olhou em volta, com medo de encontrar o olhar de alguém fixo em seus movimentos, como a espreitá-la. Viu quando a colega que atendera o telefone, ao passar pela mesa de Estelinha, que a interrogava com o olhar, disse baixinho:

— É voz de homem.

Marta atendeu o mais discretamente que pôde. Afinal, não era nem um conhecido seu. Apenas um funcionário de uma outra seção, pedindo uma informação. Foi com andar muito mais firme e decidido que voltou até sua mesa, apanhou uma pasta e voltou ao telefone. Retirou um papel da pasta já com coragem bastante para examinar o ambiente em torno e notar a decepção estampada em vários rostos. Leu ao telefone algo que o funcionário lhe perguntara e desligou o aparelho, voltando para seu lugar. Antes de recomeçar a bater à máquina, notou que junto à mesa de Jorge Freire, Dilermano conversava. Nem Jorge nem ele tomavam o cuidado de não deixar perceber que o assunto era ela.

— O telefone tem tocado mais para ela, ultimamente.

— Sê bobo, rapaz — reagiu Jorge à insinuação do outro: — Você não viu que era assunto de trabalho?

— Vai me enganar que você acredita que ela é uma santa?

— Tomara que não, porque as minhas intenções com ela são as piores possíveis.

— Isso, velhinho, insista, embora eu ainda ache que aquilo é muito fubá pro seu angu.

— Chi... lá vem o homem! — exclamou Jorge, vendo o chefe se aproximar de sua mesa. Dilermano fez-se mais insignificante do que realmente era. Como que curvou-se na sua submissão de puxa-saco, sorriu para o chefe e apressou-se a retornar ao seu lugar. Jorge baixou a cabeça e recomeçou o seu trabalho de separar as faturas para cobrança no interior.

O chefe parou perto de sua mesa, sem nada dizer. Apenas um leve ar de reprovação deixava marcado um risco nos cantos dos lábios. Rodou em torno, imponente, como um galo majestoso a tomar conta da criação, num imenso galinheiro. Sempre de paletó, que não tirava nunca, sua gravata bem-posta e uma elegância forçada, que o ventre proeminente prejudicava. Era desses homens de higiene exagerada, de unhas feitas, onde o verniz transparente brilhava desagradavelmente. As têmporas grisalhas, os cabelos penteadíssimos e um perfume de água-de-colônia nacional que evolava de sua figura, o chefe dava-se uns toques de importância superior ao seu cargo e ele talvez achasse que assim era, mas jamais seria capaz de admitir tal coisa.

Toda a repartição parecia voltada para o trabalho. O galo majestoso pareceu satisfeito em ver as galinhas ciscando no terreiro. Passeou ainda um pouco a sua importância pelo corredor entre as mesas e encaminhou-se para o outro lado. O galo ia fazer a corte à sua franga favorita.

— Como é, D. Marta, muito serviço? — ele parou ao lado de Marta, no mesmo momento em que Dilermano olhava para trás, em direção à mesa de Jorge, para ter a certeza de que o outro estava também atento ao namoro do chefe. Com um lápis preso fortemente aos dentes e um olhar furioso, Jorge não fazia outra coisa senão observar a cena.

Sem parar de bater à máquina ("se eu ficar batendo ele talvez vá embora", pensava ela), Marta levantou o rosto e respondeu:

— Hoje o movimento não foi tão grande. O contador mandou saber novamente o número do memorando que o senhor enviou anteontem. Eu acho que eles perderam a cópia.

— Deixe que eu providencio isso, D. Marta. Lembre-se do que eu lhe disse. A senhora já é uma excelente funcionária, não precisa se preocupar com a tarefa dos outros.

Marta não respondeu. Tirou o papel da máquina e fingiu que conferia o que estava escrito. O chefe abriu mais o seu sorriso:

— De mais a mais, se o movimento hoje não está grande, a senhora sairá na hora normal e vai me dar o prazer de levá-la em casa.

— Muito obrigada, mas saindo daqui eu não vou para casa. Tenho que fazer umas compras para minha filha.

— Sozinha?

— Com ela. Vou apanhá-la na porta do colégio.
— Neste caso eu a levo lá.
— É a duas esquinas daqui. O senhor não precisa se preocupar.

Marta usou aquela fórmula que as mulheres sabem dosar para não serem nem impertinentes, nem agradecidas. Para um homem como o chefe, a situação, dali para a frente, ficaria insuportável, não somente pela maneira como ela pediu para que ele não se preocupasse, num tom de quem encerrava o assunto, como também porque o chefe sabia — mesmo parecendo não se preocupar muito com isso — que toda a repartição estava com a atenção voltada para sua conversa com Marta.

— Você sabe que pode dispor de mim — disse ao afastar-se para o seu gabinete particular, ousando um tratamento mais íntimo propositadamente. Assim — acreditava ele — ela notaria o seu pesar em não poder continuar a conversa.

4

Marta saltou do ônibus junto com Estelinha. As duas caminharam até a esquina e enquanto a amiga falava ainda do embevecimento do chefe, que observara muito bem enquanto os dois conversaram na repartição, ela deixava o pensamento num ponto vago, a que já se acostumara, sempre que o assunto não lhe agradava. Respondia uma ou outra pergunta que lhe fizessem, nessas ocasiões, com a precisão de quem estava atenta...

— Quer dizer que ele quis te trazer em casa outra vez, hem?
— Hum... — fez Marta, desta vez deixando-se trair.
— O chefe, ué... Você mesma não me disse?
— Ah, sim, claro.
— Puxa, mas a desculpa que você deu, dizendo que ia buscar a menina e entrou no ônibus comigo nas bochechas dele.
— Que bem me importa, Estelinha. Ele que se dane — Marta parou em frente ao prédio onde a amiga morava, no mesmo quarteirão do dela e não deixou que o assunto prosseguisse. Beijou-a numa das faces e disse:
— Até amanhã.

Estelinha ia dizer ainda qualquer coisa, mas resolveu em contrário. Recebeu o beijo, devolveu-o e, virando-se para entrar no prédio, disse apenas:
— Tchau!

Marta foi andando pela calçada. Um rapaz passou por ela e virou-se para examiná-la melhor, seguindo em sentido contrário. Ela entrou no seu prédio, subiu os três degraus da portaria e entrou no elevador.

Não via Gilberto desde a tarde em que tomara o sorvete em sua companhia, no Café Palheta. Surpreendia-se agora ao notar que não dera pela sua falta e preocupou-se ao admitir que não ouvira qualquer som no seu apartamento, nos últimos dias. Mas quando saiu do elevador, no andar em que ambos moravam, deu com Gilberto no corredor, com uma xícara vazia na mão, bem em frente à porta de seu apartamento.

— Olá! — exclamou ele, alegre: — Ia bater à porta de minha bela vizinha, na esperança de merecer um pouco de açúcar. Minha despensa é de uma ineficiência bárbara.

Marta sorriu à presença amiga:
— Pois não. Toda a minha usina de açúcar está à sua disposição. — E, enquanto abria a porta, perguntou: — Onde você tem andado, que sumiu do convívio dos bons?

Os dois entraram pela porta aberta por Marta e, enquanto ela colocava a bolsa num aparador, Gilberto sentava-se largamente num sofá:

— Estive em Cabo Frio — respondeu, entregando a xícara vazia a Marta, que se encaminhou para a cozinha, sempre conversando:

— Hum, muito bem... muito elegante. O distinto vai passar o verão fora, nesta temporada?

— Quem sou eu, minha filha... Pobre não passa verão. Pobre vê o verão passar.

A risada de Marta, da cozinha, ressoou na sala. E Gilberto prosseguiu:

— Um amigo rico, cheio dos terrenos naquelas bandas, vai fazer um loteamento e eu vou ver se apanho uns tico-ticos na corretagem...

Marta já retornava com a xícara cheia e Gilberto, parando de falar, olhou em volta e quis saber:

— Hei... cadê a minha namorada?

— Terezinha? Foi passar uns dias com o pai — e entregando a xícara cheia ao amigo, não deixou que ele se levantasse logo: — Espera aí, conte alguns episódios do seu grã-fino fim de semana.

Gilberto ficou pensativo alguns segundos, para logo atalhar:

— Sabe, Marta, depois daquela nossa conversa, eu andei pensando muito no seu caso.

— Que caso?

— Nos seus amantes de plantão. Ainda são muitos?

— Oh, isso? — e Marta não pôde disfarçar a onda de angústia que lhe assomou ao rosto: — Você sabe? Às vezes eu chego a pensar que uma mulher se acostuma à falta de respeito. Agora mesmo, da repartição até aqui, Estelinha veio no ônibus desfiando as vantagens que eu teria com os homens que ela acha bons para meus amantes melhor.

— Ah... mas é preciso mais de um?

— Acho que o ideal alheio em relação à mulher desquitada parte do princípio de que quanto mais amantes melhor.

— Mas aquela sua teoria talvez não esteja errada. Aquilo de que, basta a mulher arranjar um homem que os outros passam a respeitá-la mais... Eu pensei muito nisso, como disse, e acho que posso resolver o seu caso, arranjando um homem rico pra você... Calma, deixa eu explicar... Nós vamos inventar, entendeu... Esse camarada não vai existir, mas você vai cultivá-lo até com cinismo, se for preciso. Você...

— Você ficou maluco, Gilberto? — interrompeu Marta.

— No começo eu me fiz a mesma pergunta, mas depois o plano foi crescendo e a coisa foi ficando viável. Deixa eu explicar: você vai começar a ser assediada por um homem chamado, digamos, Prado. Anderson Prado, que um nome meio complicado ajuda na autenticidade do tipo... e depois, tem muito Prado rico em São Paulo. Claro que o sujeito é um industrial paulista...

— Mas, homem, vamos com calma...

Gilberto, empolgado pela sua explicação, colocou a xícara na mesinha ao lado do divã e tomou uma posição mais cômoda, diante da amiga que continuava perplexa:

— Bem, a idéia inicial é criarmos um sujeito para seu amante. Um homem rico, poderoso, cheio de banca e meio misterioso, que isto se justifica pelo caráter do personagem. Um tipo assim não pode estar se expondo muito como seu amante. Ele tem que ser casado, para justificar também qualquer ausência...

— Anderson Prado! Não existe uma fábrica de salsicha com este nome?

— Se existir a gente muda. Hamilton Prado também fica bacana. Parece nome de senador da UDN.

O entusiasmo de Gilberto só encontrava ressonância no humor de Marta, que começava a se divertir com aqueles planos. Gilberto percebeu que não estava sendo levado a sério e protestou:

— Você pensa que eu estou brincando, Marta?

— E você não está?

— Mas lógico que não. Hamilton Prado será o homem capaz de lhe proteger contra o desrespeito dos outros. Talvez seja difícil para você, no começo, admitir diante de todos que tem um amante rico. Mas se você se capacitar de que está agindo assim em defesa própria, já tem justificativa bastante para continuar essa farsa.

— Não sei se teria estômago para tanto.

— Ora, minha flor... você acabou de dizer que uma mulher desquitada está prestes a se acostumar à falta de respeito. E não tenha dúvida quanto a isso. Essa Estelinha, por exemplo, no fundo ela está interessada em lhe prostituir, mas com a melhor das intenções.

Marta admitiu com um suspiro que ele tinha razão. Antes irritava-se diante da insistência das amigas em lhe arranjarem um homem, agora já aceitava com naturalidade a constância do assunto, sempre puxado por Estelinha, Alaíde e outras pessoas que gozavam da sua intimidade; uma intimidade social, posto que Marta, principalmente depois que se separara do marido, aprendera a negar sua intimidade espiritual ao próximo.

Isto Gilberto percebera logo, como agora percebia que sua idéia ganhava certa validade no íntimo de Marta:

— Pensa bem no que eu estou dizendo — aconselhou ele: — Um homem em sua vida, para a sua vida sem homens. Um senhor rico e poderoso, que lhe presenteia e atende em tudo.

— Você não vai me dizer que contratou um ator para o papel.

— Aí é que está... Anderson Prado...

— Hamilton — corrigiu ela.

— Hamilton Prado vai ser criado pela imaginação dos outros. Você sabe que eu sou teso mas tenho amigos ricos. Posso perfeitamente arranjar um carro de luxo, com chofer de luvas, para ir lhe buscar na repartição. Você receberá telefonemas dúbios, ganhará presentes fictícios, deixará sempre uma interrogação no ar, quando falar no seu amante.

Marta ficou pensativa um momento, depois — com um brilho novo no olhar, encarou Gilberto e disse:

— Já estou começando a gostar de Hamilton Prado.

5

A bela Mercedes Benz rodava pelo asfalto macio da Avenida Presidente Vargas. Marta, confortavelmente instalada no banco traseiro, ainda se sentia surpreendida pela rapidez com que Gilberto pusera o plano dos dois em ação. Descera para o trabalho e à porta do prédio encontrara-o a conversar com aquele elegante motorista fardado de azul-marinho, de quepe e luvas pretas, luvas que calçou logo depois de sentar-se à direção do carro, para levá-la à repartição.

— Conhece aqui o meu amigo Lilico? — perguntou Gilberto a ela, mal Marta pusera o pé na calçada da rua.

Lilico tirou o quepe e apertou sorridente a mão dela, enquanto Gilberto explicava:

— Ele vai levar você à repartição. E amanhã, em vez de levar, vai buscar.

Antes que Marta esboçasse qualquer reação, Gilberto calou-a com um gesto e prosseguiu falando:

— Eu já expliquei a ele o nosso plano para vender as ações ao Dr. Almeida (e, piscando um olho para sua atônita vizinha). Expliquei tudinho, que você vai se fingir de moça muito rica, para que o Dr. Almeida pense que, comprando as ações está ajudando os pobres, o que não deixa de ser verdade, pois nós somos mesmo pobres e vamos ganhar uma boa comissão nessa venda.

— Dar uma ajuda ao Gilberto — disse Lilico, enquanto Gilberto ria com satisfação — só me dá prazer, dona. Nós somos amigos de infância.

— Fomos na infância, somos agora, e tudo faz crer que seremos também quando ficarmos dois velhos borocoxôs.

— Mas, Gilberto, eu... — tentou Marta, outra vez interrompida por ele.

— Já está tudo resolvido. Entre no carro que Lilico leva — e empurrando Marta em direção ao carro, enquanto o motorista abria a porta — trate de impressionar o nosso pato.

— Pato??? — interrogou Marta, virando-se para trás.

— O Dr. Almeida.

— Ah, sim...

...e lá ia ela agora, sentada e recostada no macio estofamento do carro, rumo ao seu modesto emprego, enquanto Lilico esclarecia detalhes à sua simples pergunta: — De quem é esta carruagem?

O carro pertencia ao general Pessoa, cujo filho fora colega de Gilberto e fora através desse filho que Gilberto arrumara o emprego para Lilico. Naquela manhã o general fora a São Paulo, por isso o carro estava em disponibilidade, mas apanhar Marta à saída da repartição seria mais fácil do que levar.

– Ele nunca precisa do carro à tarde? – perguntou Marta.

– Quase nunca. À tarde ele vai sempre para um apartamento que ele tem na Avenida Atlântica e me dá ordem para circular por longe, com medo de que a patroa veja o carro por perto e descubra onde é o apartamento.

– Ué... mas o apartamento não é dele?

– É dele mas não é dela. É lá que ele se encontra com essas desajustadas que ele arranja por aí...

Ambos riram e Marta observou:

– Vê lá se você vai se complicar com o general por minha causa.

– Não há perigo. Ele geralmente fica lá entre 5 e 7 da tarde. Dá tempo para ir lhe buscar, quando for preciso.

– Entre 5 e 7, hem? – repetiu Marta, balançando a cabeça.

– Pois é... eu acho que ele não fica mais porque também já não é mais aquele – e Lilico abriu-se numa gargalhada contagiante, para logo fazer-se sério, enquanto olhava para o passeio, do outro lado da rua: – Bom... deixa eu ficar com cara de chofer, que nós estamos chegando ao lugar onde o Gilberto pediu que eu lhe deixasse.

O carro manobrou até a beira da calçada, parou pomposamente e Lilico saltou para rodear pela frente e vir abrir a porta para Marta. Tirou o quepe e colocou-o sobre o braço esquerdo, abrindo a porta com a mão direita, numa mesura elegante, que chamou a atenção dos transeuntes. Marta desembarcou com um discreto "obrigada", que Lilico respondeu com uma não menos discreta piscadela e, enquanto ela entrava no edifício da repartição, ele retomava a direção do carro e afastava-se acelerando o motor só para chamar mais a atenção dos que pararam para admirar o Mercedes.

Dilermano e Jorge tinham acabado de sair do café e estavam filando as notícias sobre futebol no *Jornal dos Sports* pendurado na banca da esquina. Os dois tinham presenciado a chegada de Marta e mesmo depois que ela já sumira de suas vistas, permaneciam boquiabertos. O primeiro a falar foi Dilermano. Tirou o palito que tinha entre os dentes e perguntou, catucando Jorge com o cotovelo:

– Você viu o que eu vi ou eu não vi o que vi e estou imaginando que vi?

– Vi – limitou-se a responder o outro.

– Jorge, meu velho... pelo jeito, você não vai comer nem a ameixa daquele pudim.

Jorge não respondeu. Sua contrariedade era evidente. Respirou fundo e olhou com raiva em direção à entrada do prédio, por onde acabara de passar Marta. Dilermano não iria desperdiçar tão boa oportunidade para desenvolver a sua tese de que Marta era mulher demais para o colega.

– Uma mulher bem administrada vale mais que uma paróquia, velhinho. Nossa coleguinha não é boba. Aquilo é carro de sujeito que tem mais renda que o Maracanã em dia de Fla x Flu.

E como se tivessem combinado, os dois começaram a caminhar juntos e calados em direção à entrada do prédio.

6

Durante uns 15 dias Gilberto fora perfeito naquilo que ele chamava de "a cobertura do Dr. Hamilton Prado". Telefonava diariamente para a repartição e tinha sempre o cuidado de "anunciar-se" antes:

— Por favor — dizia ele à pessoa que atendia o telefone, fosse quem fosse — a D. Marta pode atender? Diga-lhe que é o Dr. Prado, por favor.

Mais de uma vez Marta fora surpreendida com vistosos embrulhos cuidadosamente amarrados com laços de fita, trazidos à repartição por *boys* da companhia de investimentos onde Gilberto trabalhava. E Marta teve que refrear o riso quando chegou o primeiro presente, acompanhado de um cartão onde reconheceu a caligrafia do vizinho. Gilberto escrevera: "Minha cara senhora, rasgue este cartão em pedacinhos, após ler acintosamente o que está escrito. E, por favor, não abra o embrulho pois dentro dele estão apenas os meus chinelos, que a senhora fará o obséquio de devolver quando chegar em casa. Seu admirador profundo: Hamilton Prado".

Agora fazia mais de uma semana que Gilberto estava fora do Rio, metido no negócio de terrenos em Cabo Frio, mas nem por isso relaxara "a cobertura do Dr. Hamilton Prado". Convencera uma parenta que tinha a voz da mais neutra das secretárias a telefonar periodicamente para a redação, perguntando invariavelmente:

— D. Marta está?

E quando o funcionário que atendia perguntava quem queria falar com ela, esta pergunta era indefectível, tais eram os cochichos e bisbilhotices dos colegas em relação ao romance que Marta vivia com o importante personagem, a falsa secretária lascava:

— Diga-lhe, por obséquio, que é do escritório do Dr. Prado.

Quando Marta estava em sua mesa de trabalho, vinha atender e procurava ser natural ao telefone, para um rápido diálogo sempre sussurrado, como recomendara Gilberto. Se, por acaso, ela estivesse fora da repartição, por contingências do serviço, ao voltar encontrava os recados mais estranhos: "o Dr. Prado está almoçando no Bife de Ouro e aguarda uma chamada de D. Marta até as 2 e meia"; ou então "o Dr. Hamilton Prado pede a dona Marta que telefone para o Jóquei Clube até as 4", ou ainda "o Dr. Prado pede desculpas a D. Marta, mas recebeu um chamado urgente do ministro da Fazenda e não poderá mandar o carro buscá-la".

Lilico também desempenhava o seu papel a contento e, com regularidade cronométrica, parava todas as tardes o carro à porta da repartição e quando Marta aparecia, muito digno, saltava e corria a abrir a porta com um sorriso subserviente. Depois iam devagar, conversando, porque Marta gostava de ouvir de Lilico os casos da infância de Gilberto, suas travessuras, aventuras, desventuras, que o motorista também gostava de contar sem nunca se fazer de rogado.

Apenas uma vez Lilico não levara Marta até em casa e ela aguardava impaciente a volta de Gilberto de Cabo Frio para contar-lhe o ocorrido. Tinha certeza de que Gilberto daria gargalhadas.

Lilico, quando Marta desceu após o expediente, abriu a porta correndo, voltou ao volante a toda pressa e arrancou com o carro numa velocidade inusitada. Ela estranhou a pressa, mas não teve tempo de perguntar nada. Na primeira transversal Lilico dobrou e encostou o carro na calçada para, com ar preocupado, pedir desculpas:

— Você vai me perdoar, nega... Mas hoje eu só pude fazer a figuração. Não dá tempo de levar você na Tijuca.

— Por quê? – indagou Marta, já preparando-se para saltar do carro: – O general hoje não foi ao apartamento?

— Foi... mas é que ele hoje foi com duas desajustadas. E quando ele vai com duas ao mesmo tempo, ele não agüenta até as 7.

Nessa tarde, para não ser surpreendida pelos colegas numa fila de ônibus, depois de sair em tão reluzente limusine, Marta tomou um táxi.

7

— D. Marta, aqui estão as faturas que a senhora precisa para juntar àquele relatório.

Parecia incrível que aquele rapaz de atitude respeitosa, que acabara de entregar uns papéis a Marta e voltava para sua mesa com ar submisso fosse o mesmo Jorge Freire que, há menos de um mês aborreceu-a com seus olhares lânguidos e sorrisos impertinentes, o mesmo Jorge Freire que olhava para suas pernas sem procurar disfarçar — pelo contrário até — sempre que ela as cruzava distraidamente e sua saia subia um pouco acima dos joelhos.

A transformação dera-se em fases distintas e perfeitamente óbvias. Quando Marta chegou pela primeira vez à repartição, levada por Lilico, a atitude de Jorge fora de estupefação e logo de desprezo. Seus cochichos com Dilermano não passaram despercebidos à Marta e os olhares raivosos que, de vez em quando, atirava contra ela, eram assustadores. Mas isto não durou muito; a importância do suposto amante da colega acabou por impor-se à sua mediocridade. Jorge tornou-se primeiro respeitador e agora era, além de respeitador, serviçal.

Marta sorria interiormente com essa metamorfose, embora o que mais lhe espantasse fosse a transformação do chefe. Ele já tivera oportunidade de ver Marta sair à tarde no carro do general Pessoa, mas muito antes disso, mudara o tratamento para com ela. Sem dúvida, alguns dos que faziam-se bajuladores para gozar de sua intimidade já tinham ido contar coisas sobre o amante de Marta. Mesmo fechado dentro do seu gabinete o chefe soube que havia um milionário paulista, industrial de altos negócios, homem de grande influência política, enfim, o poderoso Dr. Hamilton Prado, na vida de Marta.

No princípio fingiu não tomar conhecimento e continuou com o mesmo jogo de antes. Julgava-se um conhecedor do mundo, o chefe de Marta. Acreditou que um homem tão importante não demoraria muito a perder tempo com uma simples funcionária pública, ainda que — não seria ele a negar — mulher das mais apetitosas. Aquilo era caso para uma semana, no máximo, e convinha manter suas pretensões. As semanas foram passando e os cálculos do chefe se esfarinharam contra as paredes do imponderável.

Era preciso curvar-se ante os fatos. O Dr. Hamilton Prado era um homem de influência extraordinária, segundo ouvira dizer. Marta mostrara-se sempre rebelde aos seus rodeios. Vamos que ela se amofinasse com aquilo e fizesse alguma referência às suas pretensões para com ela ao Dr.

Prado? O homem podia ser vingativo; tinha poderes para boicotar altas administrações, ao sabor de seus interesses, o que não poderia então contra um simples chefe de departamento? Não, em absoluto, não desdenhava de sua própria posição. Chegara ao posto com muitos sacrifícios e, por isso mesmo, não iria expor sua posição a uma intriga de amantes. De jeito nenhum. Pelo contrário – pensando bem.

Ele não era o chefe de Marta? Então por que não usufruir dessa condição? Perdia a mulher, é certo, mas ganharia o conhecimento de um homem que poderia lhe valer muito para futuras promoções.

Marta quase estragara tudo quando o chefe, depois de muitas insinuações, chamou-a em seu gabinete e, após uma ordem de serviço que ela percebeu supérflua, muniu-se de um ar bonachão e disse que, na véspera, estivera numa recepção onde fora muito elogiado o nome do Dr. Prado.

– Como??? – estranhou Marta, numa interrogação onde quase revelou seu espanto pelos elogios a uma pessoa que ela sabia fictícia.

O chefe porém não percebeu assim. Achou que talvez ela estivesse encabulada de entrar no assunto. Mas lembrou que os dois andavam abertamente pelas boates de Copacabana e insistiu: (Ainda desta vez fora coisa de Gilberto, que pedira a um cronista mundano conhecido seu que desse uma nota em sua coluna, dizendo que o Dr. Hamilton Prado tinha ido ver o show do Copa acompanhado pela *deslumbrante* Sra. Marta Ferreira.)

– Sim, D. Marta. Ouvi belos elogios ao Dr. Prado, os quais eu endosso plenamente. Ele é realmente um grande progressista, um evoluído. Não sei se a senhora já teve oportunidade de citar meu nome em conversa com o Dr. Prado...

– Bem, eu...

– Sim, claro... ele não deve se lembrar de mim. Fomos apresentados rapidamente, no hipódromo da Gávea, durante um Grande Prêmio. Eu fiquei muito impressionado com a sua personalidade. Ele é um caráter muito autêntico, homem muito empreendedor.

– Eu tenho certeza que o Dr. Prado... que Hamilton deve se recordar desse encontro, mas, na verdade, nunca falamos disso não senhor – e Marta apressou-se a deixar o gabinete do chefe, mais abalada com o próprio caradurismo do que divertida com a situação que ela mesma criara.

8

Gilberto passou dois dias no Rio. Depois de tanto tempo, veio num fim de semana. Na verdade, não fazia tanto tempo assim, mas para Marta – cuja maior alegria era estar com o amigo, coisa que ela ainda não se dera conta – os 15 dias que passou fora correram lentamente. Gilberto chegou alegre, querendo saber os resultados do plano que haviam engendrado. Apareceu de surpresa na porta do apartamento de Marta, carregando um monte de embrulhos:

– Oba! – exclamou por trás dos embrulhos, quando ela abriu a porta.

– Gilberto! – gritou Marta, sem esconder a surpresa.

Terezinha correu lá de dentro, a rever o amigo que, no meio daqueles pacotes, descobriu um especial, que entregou à menina, com uma jocosa dedicatória verbal:

– À minha bela namorada Terezinha, oferece o seu Príncipe encantado, Gilberto, cada vez mais apaixonado.

A menina ruborizava sempre que era chamada de namorada e depois de abraçar o amigo afastou-se para abrir o embrulho, deixando os dois na sala, conversando. Marta contou o sucesso do plano, os cochichos das colegas, os olhares invejosos de algumas e se deteve principalmente em detalhes, quando explicou a mudança de atitude do chefe.

– Gilberto, o velho é tão cretino, que já está insinuando uma intimidade com o meu Hamilton, para tirar proveito de tão importante conhecimento.

– Não duvido nada – concordou Gilberto. E passou a explicar que aqueles embrulhos eram todos de caixas de perfumes franceses. Caixas vazias, naturalmente, pois – se estivessem cheias – ali haveria mais de um milhão em mercadorias.

– Mas onde você arranjou isso, rapaz? – quis saber Marta, a rir dos cuidados dele.

– Coisa do Mãozinha. O Mãozinha é um cupincha meu, que fazia uns contrabandozinhos na Praça Mauá. Me apareceu no escritório todo cheio de ataduras e pontos falsos. Parecia que tinha brigado a tapa com uma onça. O Mãozinha é gozado; quando eu perguntei o que era aquilo, ele foi sincero: "Isso foi um safado de um guarda da Alfândega que quis endireitar o Brasil pra cima de mim". Parece que o Mãozinha ficou desgostoso com os problemas do contrabando e arranjou uma boa colocação em Madureira... agora é bicheiro.

– E essas caixas vazias são todas do Mãozinha?

— Eram. Agora são suas. Você deve deixar num lugar bem à mostra para que as fofoqueiras vejam como você recebe perfume francês do seu... do seu protetor.

Marta começou a apanhar os embrulhos e ele, antecipando-se a ela, apanhou um dos pacotes e disse:

— E para que as fofoqueiras não digam que você recebe perfume francês mas cheira à água-de-colônia nacional, aqui está uma pequena contribuição deste seu cúmplice.

Marta apanhou o pacote e começou a desfazê-lo nervosamente. Depois de rasgar o papel comum, por baixo havia outro papel, este colorido, igual aos que geralmente se usa para embrulhar presentes. Marta rasgou-o também e deu com a caixa.

— Hum... Cabochard. Este é o fino.

Mas ainda havia um papel celofane a rasgar. Marta rasgou-o e abriu a caixa onde, envolto em veludo vermelho, um ridículo frasco de perfume aparecia. Ela levantou-o no ar e examinou-o com um olho só, fingindo estar em dificuldade para ver o que havia dentro do frasco.

E estavam ambos a rir do minúsculo presente, quando Teresinha entrou como um raio pela sala a gritar:

— Giba... que bacana... adorei a boneca — e atirou-se no pescoço de Gilberto, beijando-o.

Marta, que observava os dois, disse então:

— Mamãe também ganhou um presente.

— Foi, mãe??? Então por que você também não beija ele?

Foi bastante embaraçada que Marta disse à filha que fosse mudar de roupa para o jantar.

Nesses dois dias que passara no Rio, Gilberto levara mãe e filha ao banho de mar, na Barra da Tijuca. Viera com a camioneta da companhia e dera belos passeios com elas. Marta recordava agora, passada uma semana, a conversa que tivera com ele na praia, enquanto Terezinha brincava na beira da água. Os primeiros sintomas do que ele previu começavam a preocupá-la.

Lembrava-se bem de quando ele lhe dissera:

— Não tenha dúvida. Pode ser que entre as suas amigas haja alguma que esteja sendo sincera com você, achando que você realmente é muito moça, que deve procurar se divertir, cultivar admiradores, enfim, essas baboseiras... pode ser; mas agora, que você deixou entrever a existência de um homem em sua vida, elas vão começar a achar justamente o contrário. Que você é leviana, que você devia ser mais discreta e, antes mesmo que você perceba, as mesmas pessoas que vinham com a conversa de que você precisava se livrar da condição de mulher desquitada o que, para essas pessoas, é sinônimo de mulher abandonada, vão reprovar sua atitude atual.

Marta, na ocasião, ouvia o que ele dizia, deixando escorrer entre os dedos um punhado de areia e a preocupação de então voltava agora, de forma mais contundente, depois de ter surpreendido a conversa entre Estelinha e Alaíde, no banheiro da repartição, e depois de ter ouvido da filha o recado daquela bruxa velha, mãe da melhor amiga de Terezinha.

A conversa entre aquelas que pareciam ser suas melhores amigas no trabalho não chegara a ser surpresa para Marta. Duro fora ouvir e ter que ficar calada.

Estava se pintando a um canto do largo banheiro de senhoras da repartição, quando elas entraram conversando. Era um banheiro em forma de "L" e, na posição em que estava, não podia ser vista pelas duas. A princípio não percebeu que falavam dela; elas estavam sempre falando de alguém e com tal constância que Marta muitas vezes se ausentava da conversa e começava a pensar em outras coisas, enquanto as duas falavam. Naquele momento, porém, passava batom nos lábios quando percebeu que era o centro da conversa.

— Se você mora perto dela, porque é que ela não leva você no carro do amante? – perguntava Alaíde.

Marta já vinha sustentando a sua falsa situação havia tanto tempo que a palavra "amante" colocava-a imediatamente de sobreaviso. Parou de pintar os lábios e ficou escutando, a torcer intimamente para que não fosse ela o centro da conversa.

Mas isto era pedir demais quando se tratava de Alaíde e Estelinha.

— Por quê? – perguntava Alaíde. E insistia: – Será que ela tem medo de que você roube o homem dela?

Esta hipótese pareceu alegrar Estelinha, que nunca tomara o homem de ninguém e, provavelmente, jamais tomaria:

— Me disseram que os dois tiveram uma briga feia, numa boate de Copacabana e que ele levantou-se da mesa e saiu. Ela teve que tomar um táxi para voltar para casa.

— Naturalmente é porque ela tem outros.

— Ora... na certa. Você acha que ela ia agüentar aquele velho sozinho?

— Ele tem o burro do dinheiro – observou Alaíde, e dando uma risada: – O velho dá a bola e ela é que rebola.

— Eu sempre achei que Marta era santinha demais – ponderou Estelinha, muito mais preocupada em ser maldizente do que em achar graça da maliciosa observação de Alaíde.

Daí para a frente Marta não ouviu mais, encostada aos ladrilhos frios da parede do banheiro, subitamente envergonhada consigo mesma, sentindo-se culpada da maldade alheia, que ela mesma fomentava, pedindo a Deus que as duas não a vissem ali e este sentimento sim — admitia ela agora — era o que mais a horrorizava.

Deitada em sua cama, ela recordava esse angustioso momento de sua tarde e o momento não lhe parecia tão lamentável quanto o que lhe ocorrera havia apenas meia hora. Indo ao quarto da filha para dar-lhe o costumeiro beijo de boa-noite, encontrara Terezinha chorando. Insistiu em saber qual o motivo do choro e ela, depois de muita insistência, explicou entre soluços que a mãe de Cristina — a melhor amiga da filha — proibira as duas de voltarem juntas do colégio "porque a mãe de Terezinha não presta".

E agora era ela, Marta, quem deixava as lágrimas correrem quentes, grossas e abundantes pelo seu rosto, molhando o travesseiro.

9

Um telegrama de Gilberto, assinando-se Hamilton Prado, o que demonstrava seu propósito de conservar o bom humor em relação ao plano, ao contrário de Marta, que sentiu-se primeiro amedrontada com o rumo que tomavam os acontecimentos e agora estava presa de uma melancolia que abatia o seu ânimo para enfrentar a dureza do cotidiano, informava que seu trabalho fora do Rio terminara e que, no dia seguinte, estaria de volta definitivamente, foi o primeiro alento de Marta, depois de todos aqueles dias em que se deixou, pouco a pouco, envolver pelo desânimo.

No dia seguinte voltou do trabalho num velho táxi, que sacolejou do Centro à Tijuca, pelas esburacadas ruas da Zona Norte. Dispensara os favores do alegre Lilico desde os primeiros resultados negativos do seu caso com o industrial rico. Desde então procurou sair da repartição ora mais cedo, ora mais tarde, para evitar diálogos com as colegas que fugissem aos assuntos do trabalho. Esta atitude – Marta tinha certeza – só poderia provocar novos comentários e não duvidava nada que Estelinha e todas as outras estivessem a murmurar que ela, de repente, resolveu se fazer de sonsa para tapar o sol com a peneira. Mas pouco lhe importava o que pensassem dali por diante em relação a ela, o que era preciso – e este era o drama em que se debatia no desespero de se sentir culpada – era salvaguardar Terezinha dos comentários desabonadores à sua pessoa. Telefonara para Haroldo e dera uma desculpa qualquer sobre a necessidade de permanecer fora de casa mais tempo, durante o período em que se dedicava a determinada tarefa que lhe haviam dado, no trabalho, e pedira que o ex-marido ficasse com a filha alguns dias. O pai adorava Terezinha e recebeu o pedido com alegria. Ela, no entanto, sofria na solidão do seu pequeno apartamento da Rua Dona Delfina, alimentando a sua vontade somente com a certeza de que a ausência da filha era o primeiro passo para apagar na impressão do próximo a sua recente leviandade.

Foi com este estado de espírito que Gilberto encontrou-a, ao regressar ao Rio, naquela noite. Sentada na poltrona de sua sala, em frente ao amigo que fumava tranqüilo à sua frente, espichado no sofá, Marta chorou todo um lenço, assoando o seu narizinho vermelho de quando em vez, contando desde os comentários desairosos que ouvira até a injustiça que a mãe de Cristina fizera com Terezinha.

Quando calou-se, Gilberto acendeu um novo cigarro, mantendo o ar risonho e despreocupado que conservou durante toda a narrativa. Marta não compreendia o alheamento de quem, afinal de contas, tramara aquele plano idiota, de resultados tão lamentáveis. E mais surpreendida ficou quando Gilberto, depois de soprar o fósforo e colocá-lo no cinzeiro, perguntou-lhe tranqüilamente:

— Mas o que é que você esperava disso tudo? — e como não obtivesse resposta, fez um gesto no ar, como se quisesse apagar no rosto de Marta o espanto que nele se estampava:

— No mundo de hoje nada se faz impunemente, meu bem. Até para respirar a gente paga e a vida é tão cheia de... (Gilberto pareceu não encontrar o termo certo, mas logo prosseguiu) ...tão cheia de incongruências, digamos assim, que quem nada faz paga um tributo maior ainda. Cobra que não se arrasta não apanha sapo, Marta.

Ela abriu a boca para dizer qualquer coisa, mas pareceu desanimar a meio caminho da fala e nada respondeu, limitando-se a — mais uma vez — assoar o nariz no lencinho ridiculamente pequeno que amassava entre as mãos trêmulas.

— Você não podia esperar que lhe atirassem pétalas de rosas por ter arranjado um amante — insistiu Gilberto, falando num tom quase paternal, o que irritou Marta.

— Você esquece — falou ela, finalmente — que foi você quem inventou toda essa esparrela em que caí, Gilberto?

— Eu estava procurando encontrar uma solução para um problema latente.

— Se o problema latente, como diz você, era o meu sossego, fique sabendo que o seu plano era uma droga.

— Aí é que está, meu bem... (Gilberto falava carinhosamente e levantou-se, tentando puxar Marta para o sofá, mas ela permaneceu sentada, recusando o convite mudo com visível contrariedade). Será que você ainda não começou a compreender? — perguntou ele de pé, à frente dela:
— O plano era meu, confesso, e você o aceitou porque vivia as contrariedades de seus primeiros meses de mulher desquitada. Mas não era um plano para o seu sossego. Era um plano para o MEU sossego, a minha segurança, a minha tranqüilidade.

Marta levantou os olhos cheios de espanto:

— Como assim?

— Venha cá, meu bem. Sente-se ao meu lado, aqui neste sofá e ouça o que eu tenho a lhe explicar e o perdão que eu tenho a lhe pedir.

Desta vez Marta deixou-se levar e acomodou-se no sofá, sentando-se sobre as pernas, numa posição em que ficava meio de lado em relação ao móvel, mas praticamente de frente para Gilberto, que pegou o lencinho com dois dedos e, depois de levantá-lo no ar, atirou-o sobre a mesinha, pedindo:

— Deixa esse lencinho pra lá, que chorar não adianta o lado de ninguém, e ouça.

Sentou-se e falou:

— Marta, quando estreitamos uma velha amizade, eu lhe encontrei apavorada com a vida... Espera — pediu, notando que ela ia interferir.

Marta cruzou os braços e esperou:

— Este é o termo, minha querida. Você estava apavorada com a sua situação de mulher sem homem e assediada pelos dráculas do sexo.

Marta não pôde deixar de sorrir à comparação.

— Agora eu vejo que esse pavor era tão grande que não lhe deixava perceber mais nada.

— Mais nada???

— Eu, por exemplo. Então você não nota que eu lhe adoro, sua boboca? Quando você me disse que a mudança do seu estado civil nunca iria influir na sua honestidade diante dos homens... e você mesma explicou que não via nisso nenhum sectarismo, pelo contrário até, admitia a existência futura de um homem...

— Claro...

— ...eu já tinha por você o mesmo amor que tenho agora, meu bem. Mas como dizer isto naquela época? Eu seria apenas mais um draculazinho na sua coleção...

— Oh, meu querido — e Marta fez menção de apanhar o lenço, esticando o braço para a mesa...

— Agora não precisamos mais de lágrimas — atalhou Gilberto, impedindo-a.

— Oh, meu querido — repetiu Marta — eu devia estar uma chata. Toda mulher exageradamente honesta é uma chata. Você devia ter feito alguma coisa.

— Foi o que eu fiz, ué? Já que eu não podia dizer o que eu sentia; já que eu não podia nem tomar conta de você, inventei aí esse nossa amizade... Eu sou o Dr. Hamilton Prado, meu amor. Você entende? De certa forma você não pode negar que o Dr. Prado funcionou. Você mesma me falava do respeito que ele impôs aos morcegões...

— Oh, meu amor — exclamou Marta, interrompendo Gilberto e atirando-se nos seus braços, para uma série de pequenos beijos desordenados e felizes, atirados ao rosto do rapaz. De repente ela parou de beijar e, afastando um pouco o rosto sem deixar a cintura de Gilberto, falou num tom de gaiatice tão comum às mulheres, em seus momentos de felicidade:

— Mas, neguinho, você devia prever meus aborrecimentos todos.

Gilberto sorriu: — Por isso eu lhe disse que precisava de um perdão. Acredito que era o único ponto fraco do Dr. Prado: deixar que os outros falassem mal de você. Mas, coitado do Dr. Prado, ele teve uma morte tão estúpida...

— Morreu como um passarinho — admitiu Marta, a rir.

— E o mundo é assim mesmo... a mesma facilidade que usou para nos ajudar a criar o Dr. Prado, ele usará para fazer esquecer o falecido.

Nessa mesma noite em que ninguém velava o Dr. Prado, Marta dormiu no mesmo prédio onde morava, no mesmo andar até. Mas, no apartamento ao lado.

Marta — como ela mesma admitiu — não era assim tão sectária.

A Desinibida do Grajaú

1

Quando Marlene foi morar na Avenida Júlio Furtado (Grajaú – Guanabara – Brasil) não houve homem das redondezas que não botasse os olhos nela. Até mesmo o Pe. Ponciano, que não morava no bairro, mas ia às quartas e sextas dar aulas de latim ao filho do síndico do prédio em frente, pois o rapaz tinha pendores para o seminário mas era fracote nos segredos da chamada língua *mater*; até mesmo o Pe. Ponciano – repito – ficava meio perturbado ao ver Marlene, tão apetitosa ela era.

Marlene, aliás Marlene Cardoso, 26 anos, loura, saudável e bela, era moça moderna, talvez moderna demais para o bairro do Grajaú, conforme mais tarde se verá. Era carioca e sempre morara na Zona Sul. Primeiro Botafogo e depois o Leme, eram os bairros onde residiu por longos anos. No Leme passara os últimos dez anos num apartamento muito confortável, que dividia com uma amiga. Essa casou, o aluguel aumentou e Marlene, sem poder fazer frente às despesas, resolveu ir para o Grajaú, lugar pelo qual tinha simpatias: sua mãe nascera e passara a infância ali e morrera suspirando pela volta à quietude e ao bucolismo do bairro de origem.

A resolução para a mudança, Marlene a tomou num instante. Ela era assim mesmo: decidida, exuberante e desinibida. Não se metia com a vida de ninguém, mas também não admitia palpites na sua. Era pessoa muito sociável, mas quando vinham lhe dar conselhos supérfluos ou criticar suas atitudes, ela se transformava numa ferinha. (E se vai no diminutivo é porque Marlene, mesmo zangada, continuava bela.) Isto se provará mais tarde.

Por enquanto fiquemos nisto: Marlene resolveu mudar-se para o Grajaú levando o que era seu e, se não era muito, também não era pouco. Ela tinha alguns móveis, um guarda-roupa razoável e, no mais, o curso ginasial, um físico muito bonito e certo talento para representar, tanto assim que seu ideal era tornar-se uma estrela de cinema. Já tinha feito algumas pontinhas em alguns filmes e conhecia todo o pessoal que mexia com cinema. Daí o não incomodar-se muito com a troca de bairro. Realmente, morando no Leme, estava ali pertinho do restaurante La Fiorentina, onde os artistas e técnicos, diretores e produtores de cinema nacional costumam cear. As mocinhas com pretensões às lides cinematográficas também costumam freqüentar o lugar, para serem vistas e não ficarem esquecidas. Marlene não precisava mais disso. Já era amiga de todos e – decidida como era – em menos de um mês conseguiu a transferência de seu telefone. Se algum diretor precisasse dos seus serviços, na certa a chamaria no Grajaú.

Ah, sim... entre os pertences de Marlene não se deve esquecer o carro. Um Volkswagen azul que ela ganhou no concurso A Garota da Praia, promovido por uma fábrica de maiôs. Pois justamente tudo começou aí. Marlene era muito conhecida na praia do Leme, que freqüentava muito e era pertinho de seu antigo apartamento. Nesse tempo, todas as manhãs, ela ia tomar banho de mar, levando uma barraca de gomos coloridos, uma esteira em que se deitava untada de óleo para queimar seu cobiçado corpo. Já nessa época os homens olhavam muito para ela, ali estendida e semi-adormecida, com rádio transistor ligado, ouvindo um programa chamado *Você pede e nós atendemos*.

Marlene não pedia nada, mas todos a atendiam. Os rapazes da praia vinham conversar, ofereciam sorvetes, refrigerantes e convites para cinemas e jantares. Até que apareceu um moreninho meio afeminado, que trabalhava em publicidade e estava catando candidatas para o concurso. Ele conversou um pouco com ela e depois perguntou:

– Por que você não se inscreve no concurso?

– Que concurso?

– A Garota da Praia – disse ele. E explicou que o primeiro prêmio era um carro, o segundo uma viagem a Buenos Aires com acompanhante, etc., etc. Daí para a frente ele não parou de falar mais. Disse onde se fazia a inscrição, falou na possibilidade dela vencer o concurso e tanto a animou que Marlene concordou em se inscrever.

Marlene ganhou o primeiro prêmio e, conseqüentemente, o carro. O desfile final foi no Maracanãzinho e a rapaziada do Leme compareceu com uma torcida organizada que deve ter influenciado no ânimo do júri, tal os berreiros que promovia cada vez que Marlene passeava com seu andar elegante pela passarela, nas provas de seleção. No Rio há duas espécies de espetáculos que arrastam multidões para as arquibancadas dos estádios: futebol e desfile de mulher bonita. Em nenhum lugar do mundo um concurso de beleza consegue uma platéia tão grande e tão entusiasmada. O público saúda com ensurdecedora alegria cada gol de seu clube no Maracanã e cada escolha de *miss* no Maracanãzinho. Na noite em que Marlene foi eleita A Garota da Praia, a platéia delirou e estremeceu todo o estádio, pois os rapazes do Leme, com a sua torcida, acabaram por captar as simpatias gerais para a sua candidata.

Ela ganhou o carro e um convite para fazer cinema. No seu primeiro filme fez um papel muito insignificante, mas no segundo até falava um bocadinho, coisa que não chegou a marcar a sua presença no elenco, mas que serviu para a sua decisão de se dedicar à carreira. Por tudo isso: porque já era conhecida no meio artístico, porque tinha carro e podia estar em qualquer ponto da cidade quando bem entendesse, porque tinha um telefone onde seria facilmente encontrada e porque era um pouco sentimental em relação ao bairro, foi que Marlene mudou-se para o Grajaú. E quando Marlene foi morar ali na Avenida Júlio Furtado, num apartamento térreo de um edifício onde o aluguel não era caro, não houve homem das redondezas que não botasse os olhos nela.

2

Seu Eugênio tinha uma teoria muito interessante sobre essa coisa de espiar mulher e era essa teoria que ele expunha ao seu amigo e vizinho Arnaldo, poucos dias depois de Marlene ter ido morar no apartamento 101 do prédio em frente. Seu Eugênio morava no segundo andar e Arnaldo no térreo, ficando – por isso – estes dois condôminos muito mais a par do que se passava na rua e na vizinhança do que os outros moradores do prédio. Daí terem sido eles – seu Eugênio e Arnaldo – os dois primeiros a darem pela presença daquela moça realmente muito bonita, que tinha ido morar no prédio em frente.

Isto, pelo menos, era o que eles imaginavam, enquanto conversavam na sala do apartamento de seu Eugênio, que Arnaldo freqüentava com certa assiduidade, pois mantinha um namoro mais ou menos platônico com a cunhada de seu Eugênio – Mariana. Seu Eugênio vivia no apartamento de frente do segundo andar (eram dois apartamentos por andar, no prédio em que eles moravam) com sua mulher e a cunhada. Mariana era solteirona e mais para magra, mas a mulher de seu Eugênio – D. Esperança – era gordíssima. Gordíssima, tinha buço e era ciumenta. Muito mais ciumenta do que gorda.

No entanto, numa rápida pesquisa, poderíamos verificar que Mariana teria muito mais razões para ser ciumenta do que D. Esperança, pois seu Eugênio era um homem discreto e com fama de sossegado, enquanto Arnaldo, que era viúvo e sem filhos, costumava, na calada da noite, arrastar mulatas para o seu convívio, coisa que fazia com muito cuidado, mas que já fora motivo de muito mexerico na vizinhança. E a tal ponto que deixara de ser novidade e já era assunto morto na boca dos outros. Talvez aqueles dois senhores que estavam ali na sala, conversando, tivessem famas opostas por ser o dono da casa vigiado pela poderosa D. Esperança, enquanto que o visitante era livre e desimpedido, em que pese o seu caso com Mariana. Mas esta, coitada, seria a última a saber.

O fato é que, estavam os dois conversando, quando Arnaldo perguntou:

– Já viste que espetáculo de garota está morando aí em frente?

– Não – mentiu seu Eugênio, que já estivera examinando a beleza de Marlene através da persiana do quarto, na tarde da véspera, quando D. Esperança saíra para entrar na fila da carne e Mariana fora à reunião semanal das Filhas de Maria.

– Pois vale a pena ver – acrescentou Arnaldo, dando um suspiro marotíssimo: – Ela mora no apartamento de baixo e tem um carrinho azul.

Costuma sair pouco depois do almoço. Usa cada decote bárbaro. E que pernas, seu Eugênio, que pernas!

Seu Eugênio concordava interiormente. Eram, realmente, pernas magníficas, mas achou mais prudente não ratificar essa verdade diante do entusiasmo do amigo. Pelo contrário, foi aí que seu Eugênio começou a expor sua teoria sobre olhar mulher. Acendeu um cigarro e ponderou:

— Pelo que vejo, você não faz outra coisa senão espiar a moça.

— Bem... você sabe, eu tenho pouco o que fazer. Estou aposentado.

— Aposentado? — estranhou seu Eugênio.

— Aposentado no serviço público, bem entendido — e Arnaldo deu uma piscadinha como a dizer que, para mulher, ainda estava em plena atividade.

— Pois, meu velho... — começou a doutrinar seu Eugênio, falando pausadamente: — ...eu sou da opinião que mulher que a gente não pode apanhar, o melhor é fingir que não vê. Desde rapazote que eu tenho esta opinião e me dou muito bem com ela. Me lembro que quando éramos garotos e minha família morava num casarão ali na Rua Borda do Mato... onde hoje tem aquele mercadinho... meu irmão Eurico e outros garotos da vizinhança descobriram que a filha do general Souza tomava banho de janela aberta. O general morava ao lado, na casa da esquina. Do terraço dos fundos, protegidos pela folhagem das árvores do nosso quintal, eles todos os dias iam espiar a moça no banho. Pois seu Arnaldo, eu nunca fui. E sabe por quê? Porque eu sabia que aquilo não era fubá pro meu bico. Pra que é que eu ia espiar a moça pelada e depois ficar imaginando coisas que não iam acontecer e que só iam me atormentar? Não, Arnaldo... mulher a gente só deve olhar quando tem possibilidades de apanhar.

Seu Eugênio calou-se e ficou recordando a beleza da filha do general, hoje casada com um coronel. Arnaldo, ao contrário, pareceu não dar maior importância aos conselhos do outro. Manteve-se alguns minutos sentado na poltrona, fumando o seu cigarro barato e depois levantou-se para amassá-lo no cinzeiro. Aproveitou que estava em pé e foi até a janela, olhar o prédio em frente, a ver se via Marlene.

Nesse justo momento a nova vizinha encostava o carro no meio-fio e abria a porta para saltar:

— Lá está ela — berrou Arnaldo, com a voz embargada pela emoção.

Seu Eugênio obedeceu ao instinto e deu um pulo da cadeira para debruçar-se ao lado de Arnaldo, na janela. Marlene colocou as pernas para fora do carro e esfregou as coxas no assento, no esforço de levantar-se para sair. O vestido encolheu-se contra o forro do assento e sua saia subiu um palmo acima dos joelhos, o bastante para Arnaldo murmurar de olhos vidrados lá pra baixo:

— Nossa Senhora! Como é boa!

O santo nome da Virgem Maria, invocado na exclamação do viúvo, não deve ser levado a conta de heresia. Apenas Arnaldo era mineiro e ainda conservava um pouco do sotaque e dos maneirismos coloquiais empregados no Estado de Minas.

Quanto a seu Eugênio, que era carioca e nascera ali mesmo no Grajaú, no tal casarão da Rua Borda do Mato, anteriormente citado, disse apenas:

— Se é!

E Marlene já dera a volta no carro e dirigia-se para a portaria do edifício, um pouco chateada com a espionagem daqueles dois homens na janela em frente, que percebera ao sair do carro, quando — dentro do apartamento — ouviu-se o barulho de chave abrindo a fechadura. Eram D. Esperança e Mariana que voltavam das compras.

Seu Eugênio deu um pulo e caiu sentado na cadeira de balanço; Arnaldo, como um raio, voltou para a poltrona, e Marlene — ao cruzar a portaria – olhou para trás, certa de que aqueles dois bobocas continuavam a espioná-la. A janela, porém, estava vazia.

3

Marlene, olhando para a janela do segundo andar do prédio em frente, verificou que já estava vazia, mas se levantasse os olhos mais um pouco, até a janela do quinto andar, por exemplo, na certa teria percebido a brilhar contra a luz do sol as lentes de um binóculo. Quem estava por trás do binóculo talvez ela não conseguisse ver, pois as pesadas cortinas da sala obrigavam o cômodo a conservar-se sempre numa penumbra muito condizente com o gosto da sombria D. Leovigilda, a mulher do síndico.

Mas, por favor, não vos precipiteis. O Sr. Leocádio, marido de D. Leovigilda – e o casal era tão leonino que ambos prestavam, no início de seus nomes de batismo, uma singela homenagem ao rei dos animais – era um homem íntegro e de uma honestidade tamanha que – temos certeza – se fosse o tesoureiro da Liga dos Cegos, haveria de apresentar o balanço anual da instituição em alfabeto Braille.

Não era, portanto, o Sr. Leocádio que estava por trás do binóculo. Quem tinha acabado de observar a entrada de Marlene e quase deixara o binóculo se espatifar janela abaixo, quando metade de suas coxas ficaram de fora, ao descer do carro, era Ismaelzinho, filho do casal, o mesmo que tinha pendores para seminarista e tomava aulas de latim com o Pe. Ponciano.

Aquela não era a primeira vez que o demônio tentara Ismaelzinho para o pecado da luxúria. Não. Para falar a verdade, Ismaelzinho foi o primeiro morador da redondeza a reparar nos encantos de Marlene e a se deixar fascinar por eles, coisa que nunca lhe ocorrera antes. Até ali Ismaelzinho tinha sido um filho enfadonhamente correto e que só dera alegrias aos pais.

Era magrinho e pálido, de nariz adunco e pele ebúrnea, que contrastava com o rosado doentio das faces, um rosado provocado pela abundante plantação de espinhas que a puberdade cultivava no seu rosto. Fora sempre um garoto tímido e bom aluno, completando o curso primário e o ginasial como primeiro da turma, coisa que muito orgulhava os dois Leo a ponto do Sr. Leocádio – de natural tão seguro em questões de dinheiro – ter-lhe comprado, quando ele terminou sua vida colegial, a coleção completa do *Tesouro da Juventude*. Pagamento à vista.

Agora, a presença de Marlene perturbava sensivelmente Ismaelzinho.

Embora fizesse disso um segredo que o apavorava, D. Leovigilda já havia percebido a mudança do filho e, por mais de uma vez, pegara-o em flagrante, olhando de binóculo através da janela. Aquilo intrigou-a bastante e, da última vez em que o entrevira pela porta do corredor entretido com o binóculo, fora disfarçadamente para a janela do quarto e descobrira o motivo lá embaixo, na calçada, discutindo com um vassoureiro a compra de um espanador.

D. Leovigilda apertara os olhos rancorosamente e sua descoberta deixou-a com tanto ódio, que sua reação foi uma palavra apenas, que pronunciou baixinho, entredentes:

— Vaca!

Este episódio ocorrera já fazia uma semana e a correta senhora ficara tão preocupada com ele que aquilo não lhe saía do pensamento. Conversara até com suas amigas do segundo andar — Esperança e Mariana — sobre a moça metida a moderna que estava morando no edifício fronteiriço:

— Vocês já viram a sirigaita que está morando aí em frente?

— Sirigaitíssima! — ajuntou D. Esperança, que também já tinha reparado em Marlene e não se agradara absolutamente nada da presença daquela mulher tão bonita morando bem em frente à sua janela.

— Deve ser uma dessas prostitutas sustentadas por um "coronel" — aventurou-se D. Leovigilda.

— Ora. Pois se tem até automóvel! — observou D. Esperança.

— Não — interveio Mariana, que na sua timidez, o máximo que conseguia era invejar a beleza de Marlene: — O carro ela ganhou num concurso de beleza.

— Como é que você sabe? — estranhou D. Esperança, coadjuvada pelas rugas na testa de D. Leovigilda.

— Foi o porteiro do prédio que me contou, seu João.

(Seu João — anote-se — além de porteiro do prédio de Marlene, fazia a faxina semanal em vários apartamentos daquele quarteirão da Avenida Júlio Furtado).

— Ela é de fato muito bonita. Trabalha no cinema, mas o carro ela ganhou num concurso de maiôs.

As outras duas se entreolharam e D. Esperança falou primeiro:

— Esses concursos de beleza! É tudo pornografia, é o que é.

A conversa terminou aí, porque D. Leovigilda tinha de subir para determinar o jantar e agora estava justamente nesta providência, como fazia todas as tardes, quando o Pe. Ponciano, que acabara de dar aula a Ismaelzinho, chamou-a na porta da cozinha:

— Senhora, eu gostaria de falar-lhe um instante.

— Pois não, padre — e veio para a sala sentar-se numa das cadeiras que rodeavam a mesa onde a família fazia as refeições e onde o padre dava as aulas a Ismaelzinho. Este já recolhera os livros e se retirara para o seu quarto, onde antes passava grande parte do dia, estudando, lendo, e onde agora permanecia tão pouco tempo, tendo D. Leovigilda já descoberto por quê: o quarto de Ismaelzinho tinha janela para a área interna e dali ele não podia ver aquela *desencaminhadora de menores*.

Padre Ponciano tomou um ar grave, pigarreou discretamente e abordou o assunto:

— Tenho notado que o nosso Ismael anda muito nervoso, minha senhora.

— Eu também, padre. Isto vem me preocupando há dias.

— Não esperava outra coisa de mãe tão zelosa. Mas acontece que precisamos descobrir...

O padre interrompeu a frase a meio, vendo o Sr. Leocádio que entrava e se dirigia a uma gaveta onde guardava as contas do condomínio. Trazia os papéis de algumas despesas e queria registrar no livro-caixa. Ele também se surpreendeu com a presença da mulher e do padre, conversando com ar tão formal.

D. Leovigilda quebrou o rápido silêncio que se fez:

— Foi bom você chegar, Leo. Estamos conversando sobre um assunto muito sério.

— Mas, Pe. Ponciano — ponderou imediatamente Leocádio: — O senhor aumentou o preço das aulas não faz nem um mês.

— Não se trata disso — cortou D. Leovigilda contrariada. — Trata-se de Ismaelzinho.

— Mesada?

— Que mesada, homem. O Pe. Ponciano estava aqui a me dizer que Ismaelzinho anda esquisito. Faça o favor de repetir suas palavras, padre.

— Bem — tornou a falar Pe. Ponciano: — Eu estava aqui a dizer para sua senhora que o rapaz deve ter algum problema. Ultimamente ele anda muito nervoso, muito desatento às aulas. Deve haver um motivo para isto.

— Eu sei o motivo — declarou solenemente a inquebrantável senhora. E nem diminuiu o tom de voz para dizer: — Mulher!

— Mulher??? — o padre arregalou os olhos.

— Mulher??? — repetiu seu Leocádio, boquiaberto.

— Mas, minha senhora... um futuro seminarista. O rapaz tem dotes sacerdotais e...

— Tenho certeza de que nem sequer falou com ela — voltou a interromper: — Ismaelzinho sempre foi um rapaz corretíssimo e nunca se meteu com mulheres. Ele está obcecado por uma visão.

— Mas que diabo de visão é esta — bradou Leocádio, esquecendo-se da presença do padre e citando o capeta com a maior intimidade.

Enquanto o piedoso sacerdote se benzia, D. Leovigilda se levantou e comandou as ações:

— Venham e vejam.

Caminhou até a janela e, puxando a cortina, mostrou o binóculo que Ismaelzinho, para não ter que responder perguntas embaraçosas ao atravessar a sala portando aquele objeto de nenhuma finalidade doméstica ou didática, escondera ali.

— Meu binóculo — disse o Sr. Leocádio.

— Sim, o seu binóculo — concordou a mulher, abaixando-se e apanhando o binóculo: — Ele botou esta porcaria aqui para ver aquela pecadora mais de perto — e dizendo isto olhou pela janela e apontou lá para baixo.

Coincidência ou não, o fato é que Marlene estava debruçada na varandinha de seu apartamento, tomando a fresca.

— Veja — disse a senhora: — lá está ela — e entregou o binóculo ao padre que, imediatamente, assestou-o na direção da varanda de Marlene e começou a graduar as lentes. Ela estava com um decote muito condescendente.

— Mas quem é aquela mulher? — perguntou o síndico, com toda a sinceridade, por ser talvez o único homem das proximidades que ainda não notara a presença de Marlene naquele apartamento.

— Uma vagabunda qualquer, é isto — soltou a mulher, iniciando uma torrente de palavras acusatórias à vizinha que mal conhecia: — uma dessas sem-vergonhas que trabalham no cinema, uma despudorada que sai para a praia de Copacabana quase nua, que sai daqui, do Grajaú, com as pernas de fora e atravessa a cidade assim, para ir se exibir nua pr'aquelas bandas. Onde já se viu uma coisa dessas aqui, numa zona residencial...

— Mas o que é que o Ismaelzinho tem com ela? — queria saber o Sr. Leocádio.

— Nada. Graças a Deus... mas está babado por ela... está sendo tentado pela pecadora. Esta mulher precisa ser expulsa daí — e, com esta sentença, D. Leovigilda encerrou o laudo acusatório.

Durante todo esse tempo, o padre continuara firme, olhando pelo binóculo. Ela notou a demora e falou, com voz de censura:

— Pe. Ponciano!!!

O sacerdote baixou rapidamente o binóculo, embaraçado. E foi aí que Ismaelzinho, atraído pelas palavras duras que sua mãe dizia a ele, lá do banheiro e não conseguia entender, entrou na sala. Vendo os três próximos à janela e o padre com o binóculo na mão, sentiu uma tonteira irresistível e caiu duro no chão. Desmaiou.

4

— Meu Deus, ele quebrou a cabeça — berrou D. Leovigilda, quando viu Ismaelzinho cair no tapete e dar com a cabeça na beira da mesa, abrindo um talho na testa.

A confusão que se formou foi geral, com todos correndo ao mesmo tempo para socorrer o rapaz, inclusive a empregada, que veio lá de dentro atraída pelos gritos da patroa. A tudo isto Marlene, lá embaixo, do outro lado da rua, estava alheia. Calmamente ela se retirava da janela, porque três sujeitos metidos a engraçadinhos tinham parado na calçada, perto da sua varanda, e lhe dirigiam piadinhas sem a menor graça; pelo menos do ponto de vista dela, já que o trio se divertia bastante vendo a contrariedade da moça diante do seu humor grosseiro.

Positivamente ela não estava gostando da vizinhança. Não por causa de galanteios bobocas, que a isto ela estava acostumada e em qualquer bairro é a mesma coisa, mas por causa do olhar hostil das mulheres, do olhar pidão dos homens. A isto Marlene não estava acostumada.

A princípio divertira-se com aqueles homens que, das suas respectivas janelas, olhavam-na insistentemente. Uns eram tão insistentes e permanentes nos seus postos de observação que lhe vinha um impulso moleque de lhes dar um adeusinho. Pensou que, se assim fizesse, a surpresa seria tão grande que a maioria se despencaria pela janela. Este pensamento também a divertiu, mas depois — quando as mulheres passaram a observá-la com ar de censura — começou a achar chato.

Agora ela estava mais do que precavida contra os vizinhos, com os reiterados episódios que involuntariamente provocou. Houve o caso do senhor que morava no andar térreo de um dos prédios do outro lado da rua, que lhe mandara uma cesta de flores e ela entregara ao porteiro João para devolver. O homem assinara-se Arnaldo e soube depois, pelo mesmo João, que era um viúvo assanhado. Houve o caso do cavalheiro que morava no edifício ao lado, no segundo andar, onde uma janela devassava o seu quarto. Uma tarde estava tranqüilamente mudando de roupa quando dera com ele na janela citada, sorrindo-lhe prazerosamente. Ficara contrariada e batera com as venezianas de sua janela no focinho do indiscreto. Dias depois deu-se o caso inverso: estava inadvertidamente de *baby-doll*, deitada em sua cama a falar no telefone, quando deu de cara com uma senhora a espiá-la do mesmo lugar onde estivera o cavalheiro. Mas aí foi a senhora que lhe dirigira um muxoxo desdenhoso e batera a janela. Havia também o gorduchinho do 102. Rara era a vez em que

Marlene saía ao corredor que ele não arranjasse também um pretexto para sair e lançar-lhe olhares cobiçosos. E havia a cena desagradável que se repetia sempre que Marlene saía para ir à praia. Quando ela aparecia na portaria de maiô, coberta pela sua saída-de-praia, abraçada à barraca e à esteirinha, imediatamente havia um silêncio constrangedor na rua. Grupos se cutucavam, homens se viravam ostensivamente e parecia haver um aviso secreto que fazia surgir cabeças em dezenas de janelas. Ela fingia não tomar conhecimento de nada. Seguia seu caminho, entrava no carro estacionado no meio-fio, ligava o motor e ia embora. Mas tudo se repetiria, quando ela voltasse.

E tudo continuava mais ou menos nesse pé, até que veio aquele domingo. Chovera a semana inteira, Marlene não fora à praia e não deixara o carro como fazia sempre, em frente ao posto de gasolina onde trabalhava um rapaz que o lavava para ela. O domingo era um dia cacete e monótono, nuvens escondiam o sol e contribuíam para o mormaço reinante. Marlene, chateada por ter de passar o dia inteiro sem nada que fazer, foi até a varandinha do apartamento e olhou para o carro.

"Como está sujo", pensou.

Súbito, teve uma idéia:

"Vou lavar o coitadinho".

Voltou para o interior do apartamento e tirou o vestido. Pegou uma blusa e vestiu, enrolando as pontas e dando um nó abaixo dos seios. Meteu um short amarelo, já muito batido, e foi à área interna onde apanhou um balde, o pano de pó e o pano de chão.

Pouco depois, sem se importar com um grupo de homens que lhe dirigiram os galanteios habituais, começou a lavar o carro. E logo várias cabeças surgiram nas janelas da vizinhança, para apreciar o espetáculo.

Não se passara nem um minuto do momento em que Marlene se aproximou do carro e já Arnaldo tocava a campainha no apartamento de seu Eugênio. Quem abriu a porta foi Mariana e, ao dar de frente com a sua última esperança para trocar de estado civil, baixou os olhos pudicamente e murmurou:

— Olá, Arnaldo.

Arnaldo devolveu o olá e, não escondendo seu nervosismo, quis saber:

— Eugênio está?

Não foi preciso resposta, o carão de seu Eugênio assomou à porta e Arnaldo pediu, disfarçando o mais que pôde a sua ânsia:

— Eu queria te falar uma coisa.

Seu Eugênio saiu e fechou a porta atrás de si, pouco se incomodando em deixar Mariana plantada pelo lado de dentro. Os dois deram alguns passos pelo corredor e Arnaldo, depois de medir a distância e ter a certeza de que não seria ouvido por mais ninguém, segredou ao amigo:

— Depressa. A boa ali de frente está nua na rua — e encaminhou-se para a escada, seguido de seu Eugênio que, incrédulo, perguntou:

— Toda pelada?

— Quase — ia informando Arnaldo, enquanto desciam a escada com inusitada rapidez: — Está com um short infernal, lavando o carro.

Esquecido de sua teoria sobre mulheres inacessíveis, seu Eugênio seguiu o companheiro, tendo murmurado apenas:

— Oba!

Noutras alturas ou, mais precisamente, cinco andares mais acima, Ismaelzinho procurava nervosamente o binóculo que D. Leovigilda escondera. Revirou o guarda-roupa da mãe sem o menor cuidado em manter a ordem dos guardados. Levantava caixas, atirava peças de vestuário para o ar e acabou encontrando o desejado binóculo numa gaveta, por baixo das camisolas de D. Leovigilda. Apanhou-o sôfrego e saiu correndo para a sala, escorregando no tapete e levando novo tombo, no mesmo lugar em que desmaiara dias antes. Desta vez, no entanto, nem sentiu o baque. Levantou-se depressa e meteu a cara na janela, com o binóculo nos olhos e um esparadrapo na testa.

Também o homem do prédio ao lado do de Marlene e que costumava vigiar seu quarto, aproveitou que sua zelosa esposa estava na missa, e ficou de lá grelando.

Marlene, inocente, tinha ido lá dentro encher novamente o balde e estava de volta, quando D. Esperança, lá do seu quarto, gritou para Mariana, na sala:

— Mariana, quem tocou a campainha?

— Foi Arnaldo. Queria falar em particular com Eugeninho.

Não foi preciso mais nada. Logo D. Esperança surgiu na sala e trovejou: — Como?

Sim, era isto mesmo. O Arnaldo chegara e dissera que queria dizer uma coisa ao Eugeninho. Os dois saíram e deviam ter ido lá pra baixo, para o apartamento do Arnaldo.

D. Esperança correu à janela e viu Marlene do outro lado, lavando o carro.

— Nós também vamos lá pra baixo — anunciou resoluta, abrindo a porta e saindo, seguida pela tímida irmã.

5

Arnaldo, no seu incontido desejo de espiar Marlene, nem se lembrou de fechar a porta do apartamento, por onde passou D. Esperança impávida e forte, sem ao menos ponderar que estava entrando no apartamento de um viúvo, o que – na ordem das coisas – deve ser mais ou menos pecado igual ao de freqüentar apartamento de solteiro. Isto deve ter pensado Mariana, que hesitou à entrada, mas acabou seguindo Esperança, prevendo as complicações prestes a se desencadearem.

Lá em cima, no quinto andar, D. Leovigilda saía do banheiro enrolada numa toalha e entrava em seu quarto para se surpreender com a bagunça reinante. Havia calcinhas íntimas no assoalho, suéteres em cima da cama, caixas abertas sobre a sua penteadeira e todas as portas e gavetas dos móveis estavam escancaradas. De saída ela ia pensando que era ladrão, mas ao ver suas camisolas revolvidas, correu para a gaveta e deu pela falta do binóculo. Num átimo percebeu o que acontecera e correu assim mesmo, enrolada na toalha, para a sala de jantar.

Também D. Esperança corria, mas lá no térreo, em direção ao mesmo cômodo, encontrando logo as respectivas bundas de Arnaldo e seu Eugênio voltadas para a parte de dentro, enquanto suas cabeças (ela não viu mas calculou) estavam debruçadas para fora, admirando aquele espetáculo de deboche, aquele exibicionismo despudorado.

– EUGÊNIO!!! – estrondou a gordíssima senhora, surpreendendo a cachorrinha de Arnaldo, que dormia numa poltrona. A pobrezinha meteu o rabo entre as pernas e fugiu como um raio para a cozinha, enquanto seu Eugênio, surpreendido em flagrante, pulava para trás e dava com a nuca na guilhotina da janela.

– Bonito papel, seu deletério. Então o senhor também é um debochado, como esse sátiro – e D. Esperança apontou para Arnaldo.

– Perdão, mas... – ia dizendo Arnaldo.

– Perdão é o raio que o parta. Um não deve nada ao outro...

– Você está enganada, querida, eu estava justamente convencendo o Arnaldo de não espionar os vizinhos – tentou explicar seu Eugênio.

– E você pensa que eu vou acreditar nesta baboseira? Você pensa que eu sou uma imbecil qualquer?

– Ninguém chamou a senhora de imbecil – ponderou Arnaldo.

– Cale-se – retrucou ela. – O senhor é o principal culpado... Trazendo meu marido que estava quieto em casa, para ver aquela prostituta...

— Lá isso é verdade — concordou seu Eugênio, fugindo à responsabilidade.

— A senhora não sabe o que está dizendo — disse Arnaldo.

— O quê? Não seja pérfido, seu Arnaldo. O senhor acha então que todo mundo não conhece a sua ficha? Não me obrigue a falar, ouviu? Não me obrigue a falar.

— Eu não sei o que se pode falar a meu respeito. Eu sou um homem que não tenho de dar satisfação a ninguém. Além disso, eu sou viúvo.

— Viúvo e debochado. Todos, compreendeu... todos sabem as farras que o senhor faz aqui dentro com suas crioulas.

— Crioulas não. Caboclas — traiu-se Arnaldo, prejudicado pela raiva: — Eu nunca andei com crioulas.

Foi aí que Mariana, até então calada, a olhar de um lado para o outro, como se assistisse a uma partida de pingue-pongue, entrou na roda. Deu um gritinho e colocou as mãos sobre os olhos, não querendo acreditar no que ouvira.

Arnaldo segurou-a: — Perdão, Mariana, eu...

Mariana abaixou os braços resoluta e lascou-lhe na cara:

— Racista! — e saiu correndo rumo ao corredor, em demanda do quarto onde choraria com mais conforto o seu desgosto.

No quinto andar, D. Leovigilda também apanhara Ismaelzinho com a boca na botija:

— Largue esse binóculo, pecador — tentou ela dizer com ares de ofendida pela heresia filial.

Mas Ismaelzinho limitou-se a virar o rosto e dizer:

— Não chateia, mamãe — e tornou ao binóculo.

— Oh... — exclamou sufocada.

Ismaelzinho nunca lhe falara assim. Era o poder diabólico daquela mulher enviada pelo demônio que estava influenciando seu filho. Se ao menos Pe. Ponciano estivesse ali, mas era domingo e aos domingos o padre sumia. Voltou-se nos calcanhares para botar um vestido e sair em busca do marido. De maneira nenhuma permitiria que Ismaelzinho continuasse a conspurcar os olhos na visão do pecado.

No andar térreo, seu Eugênio e Arnaldo tinham se afastado da janela e quem ali se aboletara agora era a possante D. Esperança. Seu corpanzil mal dava para debruçar no parapeito, mas ela se espremia na medida do possível e berrava lá pra fora:

— Indecente! Sem-vergonha!

Marlene, distraída a passar o pano molhado pela capota do carro, não percebeu de imediato que aqueles gritos eram para ela, mas quando D. Esperança gritou:

— Lugar de vagabunda mostrar o umbigo é no teatro.

...Marlene sentiu o drama.

Mas ela não era de engolir desaforo calada. Quando começaram os mexericos dos passantes, na hora em que ela principiou a lavar o carro, bem que ela ponderou sobre as vantagens e desvantagens de estar sendo o ponto convergente de tantos olhares, mas chegou à conclusão de que não estava fazendo nada demais e os outros que se ralassem. Esta conclusão deixou-a predisposta a defender-se de qualquer ataque. Daí o ter revidado de estalo:

— Meta-se com a sua vida, bruxa gorda! — gritou Marlene.

Os rapazes das arquibancadas (e pareciam mesmo estar nas arquibancadas de um estádio, pois eram muitos, sentados nos degraus das portarias dos edifícios, no gradil das casas e alguns até no meio-fio) caíram na gargalhada, o que apenas serviu para aumentar a raiva de D. Esperança.

— É porque esta terra não tem polícia, por isso é que as vagabundas vêm morar no lugar de gente decente — ela conseguira enfiar um braço pela janela e balançava as banhas ameaçadoramente para Marlene:

— Saia daí, vagabunda. Senão eu vou te tirar — prosseguiu a mulher do apavorado seu Eugênio.

— Pois vem tirar que eu quero ver — respondeu Marlene, parando de esfregar e colocando as mãos nos bem torneados quadris.

D. Esperança saiu da janela e virou-se para ir brigar na rua. Seu Eugênio tentou ficar na frente, para impedir a propagação do escândalo mas levou tamanha umbigada que foi obrigado a recuar.

Quem não recuou foi o Sr. Leocádio. Chamado por Leovigilda no apartamento 802, onde fora atender a reclamação do morador contra uma infiltração na parede, o pai de Ismaelzinho desceu para o quinto andar disposto a exemplar o filho. O casal entrou na sala e lá estava ele, no mesmo lugar, com o mesmo binóculo, na mesma contemplação.

— Veja — mostrou D. Leovigilda, colocando dramaticidade no gesto de apontar — lá está o nosso filho hipnotizado pela pecadora.

Ismaelzinho tão entretido estava que nem ouviu o libelo. De binóculo estava e de binóculo ficou. Indignado, o Sr. Leocádio partiu para ele e só então o filho virou-se. O safanão que o pai lhe deu para tomar o binóculo desequilibrou o rapaz, que perdeu o binóculo e o pé de apoio, caindo pela janela afora.

— Meu Deus! — gritou Leovigilda.

– Meu Deus! – ecoou Leocádio.

E foi por Deus mesmo que Ismaelzinho conseguiu se agarrar nos ferros que sustentavam os trilhos da persiana e lá ficou pendurado, mais pálido do que nunca.

6

Sem sombra de dúvida, os acontecimentos ali naquele trecho da Avenida Júlio Furtado estavam se desencadeando com uma certa coordenação. Por exemplo: as chamadas da radiopatrulha e do Corpo de Bombeiros foram feitas quase ao mesmo tempo. Os policiais tiveram intenso trabalho, os bombeiros praticamente nenhum, conforme se verá no decorrer desta narrativa.

Mariana, depois de chamar Arnaldo de racista e subir para o seu quarto (onde poderia chorar com mais conforto), usou realmente o seu cômodo particular para verter algumas lágrimas. Sua curiosidade pelas ocorrências que se desencadeavam, causadas pela crise provocada pelo short de Marlene, era, porém, bem mais forte do que a sua capacidade para sentir-se infeliz. Por causa desse detalhe, Mariana abandonou seu quarto e suas lágrimas, indo para a janela, ao ouvir os gritos de sua irmã Esperança, vindos da rua. Correu para a janela e logo notou a possibilidade daquilo se transformar em conflito. Em pânico, ligou para a radiopatrulha e pediu socorro.

Num dos edifícios em frente, não naquele em que residia Marlene, mas num outro ao lado, onde os moradores em grande maioria também postavam-se nas janelas para apreciar as cenas que se desenrolavam no asfalto, uma velhinha notou quando Ismaelzinho perdera o equilíbrio e caíra pelo parapeito, ficando pendurado pelo lado de fora. Essa velhinha ligou em seguida para o Corpo de Bombeiros, avisando que havia um homem pendurado no prédio em frente, prestes a se despencar, caso uma escada magirus não fosse enviada com a maior rapidez possível.

O carro vermelho dos bombeiros estava ainda se preparando para partir quando Ismaelzinho foi salvo pelos esforços do pai e da empregada, uma robusta mulata. D. Leovigilda não ajudou nada, materialmente. Sua colaboração foi de âmbito espiritual. Vendo o filho a debater-se na lisura da parede, como se fosse uma desajeitada lagartixa, correu para a sala de jantar e ajoelhou-se em frente a um quadro da Ceia do Senhor e pôs-se a rezar com pungente fervor.

O Sr. Leocádio, mais prático, segurou Ismaelzinho por um braço e berrou o quanto pôde para que o filho se mantivesse calmo, que ele o puxaria de volta para dentro. Na verdade, não cumpriu a promessa, a não ser quando a empregada deu a sua mãozinha. Ela agarrou o outro braço de Ismaelzinho e comandou as ações:

– Patrão, quando eu gritar "já", a gente puxa juntos – e gritou: – Já!

Puxaram de parceria e Ismaelzinho subiu o bastante para se agarrar como um náufrago que sente a possibilidade de salvar-se, no peitoril da janela. O resto foi fácil: o Sr. Leocádio agarrou-lhe os fundilhos das calças e alçou-o sala adentro, para alívio geral.

Na rua, a imensa D. Esperança encontrava o primeiro obstáculo. Ela saíra para a rua e, no caminho, apanhara uma vassoura que Arnaldo esquecera num canto da sala. Apesar dos reiterados gritos de seu Eugênio:

— Volte, mulher! O que é isso? Volte! Esperança, você enlouqueceu?

...apesar — reafirmo — ela seguiu no caminho da rua, onde chegou bufando de ódio:

— Você vai ver com quem se meteu, sua vagabunda! — gritou ela, para Marlene.

A adversária, vendo o volume do inimigo, a vassoura e seu ar decidido, empalideceu e recuou um pouco. Foi quando surgiu o primeiro obstáculo.

Os rapazes que se haviam juntado ao redor para ver Marlene lavar o carro de short, como se atendessem a um líder invisível, correram todos para proteger a moça e um, mais afoito, foi avisando:

— A senhora não vai bater na moça não.

— Saia daí, seu moleque — berrou D. Esperança.

Os outros protestaram em uníssono:

— Não vai bater não! Volte para sua casa, megera, fera da Penha — foram algumas das expressões dirigidas a ela.

Por um momento D. Esperança mediu as hostes inimigas. Impotente ante os inesperados aliados da sem-vergonha, resolveu ir à forra no carro. Levantou a vassoura e deu tremenda vassourada num dos pára-lamas.

— Meu carro — gemeu Marlene, que tinha um carinho todo especial para com o Volkswagen ganho no concurso.

A raiva levou-a à reação. Apanhou o balde que estava a seu alcance e atirou toda a água na cara da outra. D. Esperança pôs-se a tossir de sufocação e ódio.

Quando seu Eugênio atravessou a rua, D. Esperança e Marlene já estavam engalfinhadas com a rapaziada em volta, querendo separar. Seu Eugênio não era um cagão total. Longe disso; tinha um certo medo de D. Esperança, um misto de respeito e vontade de não se chatear, mas para brigar com homem, até ali — e já ia para os 50 anos — nunca dera pra trás. Enfiou o braço no rapaz mais próximo e agarrou-se com ele. Arnaldo, que vinha atrás e não tinha decidido ainda se fora em demanda da área de atrito como simples espectador ou se fora solidário com o amigo e vizinho, aderiu à segunda hipótese e pôs-se a dar pontapés no rapaz que embolara com seu Eugênio. Os outros acharam que era covardia e um deles acertou um admirável bofetão em Arnaldo. O viúvo caiu à distância, como um sapo, todo esparramado na calçada. Sua fúria foi tamanha que perdeu o instinto de conservação. Viu a seu lado a vassoura abandonada por D. Esperança e, de sapo, passou a helicóptero. Segurou o cabo da vassoura com as duas mãos e levantando aquela perigosa "hélice" acima da cabeça, retornou à área de atrito rodando-a furiosamente, espalhando gente pra todo lado.

Foi quando chegou a radiopatrulha. Ou antes, não chegou a chegar. Pelo menos naquele instante. O carro do Corpo de Bombeiros corria pela Avenida Júlio Furtado em razoável velocidade, quando o carro da radiopatrulha, dirigido com aquela prepotência tão peculiar aos policiais, entrou na mesma avenida. O motorista dos bombeiros tentou travar, mas era tarde demais: as duas viaturas se chocaram de lado e, ambos os motoristas, para evitar um choque maior, deram um golpe de direção, subindo os carros a calçada e derrubando o muro de um terreno baldio, de onde saiu a correr, espavorido e segurando as calças, um mendigo barbado. O que ele estava fazendo ali não é da nossa conta. Afinal, nós todos, ainda que não seja em terreno baldio, fazemos a mesma coisa.

Policiais e bombeiros desceram das respectivas viaturas para examinar os danos causados e os possíveis feridos. Felizmente os danos eram poucos e não havia feridos, mas a velhinha que chamara o Corpo de Bombeiros para salvar Ismaelzinho estava num posto de observação que não permitia atentar para detalhes. Por isso, vendo o choque, ela foi ao telefone e ligou para o Touring Club pedindo um carro-reboque.

No quarteirão, a coisa estava feia. Arnaldo, de tanto rodar, sentiu enjôo e vontade de vomitar. Largou a vassoura e encostou-se no carro, a suar frio, de mão na fronte.

Seu Eugênio era contido por uns dez, D. Esperança por uns cinco e Marlene era agora senhora absoluta da vassoura, que segurava com as duas mãos, aguardando novas escaramuças. Os empurrões e o vozerio continuavam e o Sr. Leocádio, que, depois de salvar Ismaelzinho, descera com toda a família e mais o seu revólver, achou de bom alvitre dar um tiro para cima, com intenção de espantar o povaréu.

Espantou alguns circunstantes e enfureceu outros:

— Tiro não! — berrou o mesmo rapaz corpulento que proibira D. Esperança de bater em Marlene com a vassoura: — Tiro não! — repetiu, encaminhando-se de dedo em riste para o Sr. Leocádio.

Os homens da radiopatrulha, passado o susto, comentavam o acidente, quando ouviram o tiro. Deixaram o carro onde estava e saíram correndo em direção ao outro quarteirão.

Quem também se impressionou com o tiro foi a velhinha que chamara os bombeiros e o carro-reboque. Ela saiu mais uma vez de sua janela e – prevendo feridos – ligou para o Pronto-Socorro, pedindo uma ambulância, para logo retificar:

– É melhor mandar duas. Tem muita gente machucada – dito o quê, desligou e voltou calmamente para a janela.

Mas, voltando a Ismaelzinho, quem não estava entendendo mais nada era Marlene. Segurando a vassoura, ela olhava para ele e cismava:

"Por que será que este rapazinho está aqui, me olhando com este olhar de hipnotizador de circo?"

7

Como não podia deixar de ser, foram todos parar na delegacia. Isto é, todos não: os principais envolvidos na baderna. Marlene, na qualidade de pivô do crime, D. Esperança, na qualidade de provocadora do conflito, e mais seu Eugênio, Arnaldo, o Sr. Leocádio, sua esposa Leovigilda, o rapaz fortão que tentara proteger Marlene e mais uns dez outros, entre culpados e testemunhas. Ismaelzinho não foi arrolado nem como uma coisa nem como outra, mas Marlene lembra-se bem de que, na delegacia, em dado momento, deu com aquele mesmo rapaz de antes, novamente ao seu lado, olhando-a embevecido.

Foi um custo para os policiais conterem os ânimos e só conseguiram pôr fim ao entrevero quando um deles voltou ao carro – já retirado de cima da calçada pelos bombeiros – e pediu reforço. Esse reforço, inclusive, chegou na forma de um tintureiro (uma dessas camionetas fechadas da polícia, especiais para o transporte de presos). Houve certa confusão à sua chegada, pois o tintureiro parou no local no mesmo momento em que as duas ambulâncias também chegavam ali.

Na Delegacia, o comissário de dia simpatizou sensivelmente com Marlene e foi muito gentil com ela, o mesmo não acontecendo em relação à D. Esperança, a quem chamou de culpada pela ocorrência. Outro que levou um sabão em regra foi o Sr. Leocádio, por ter dado o tiro para cima. Mas, de uma forma geral, a autoridade foi bastante benevolente, se levarmos em consideração as proporções que o caso poderia ter tomado. Limitou-se o comissário a dar conselhos, a dizer que, entre vizinhos civilizados, aquilo era um absurdo.

Quando D. Esperança, secundada por D. Leovigilda, insistiu que os trajes de Marlene atentavam contra o pudor, o zeloso policial defendeu uma tese muito interessante, segundo a qual o sentimento de pudor é muito relativo e se madama sentia o seu pudor ferido ao olhar para o short de Marlene, não devia mais fazê-lo, uma vez que, assim procedendo, era madama que estava ofendendo o seu próprio pudor e não a moça que vestia o short, e o vestia sem imaginar que pudesse estar provocando nos outros tal sentimento. Dito o quê, sorriu para Marlene.

Terminada a explanação, o comissário considerou que o melhor seria não registrar a queixa para evitar novas desavenças, ainda mais porque – ele tinha certeza – o incidente seria esquecido, para que todos pudessem viver naquele quarteirão de sua jurisdição em perfeita coexistência pacífica. Era bem falante o comissário, e conseguiu impor o seu ponto de vista sem provocar ressentimentos em qualquer das partes litigantes, nem mesmo em D. Esperança, já amaciada pelos desvelos de seu Eugênio, que desde o término da luta não fazia outra coisa senão abraçá-la e chamá-la carinhosamente de "minha Pepê", apelido perdido no tempo, desde os primeiros anos de união do casal. Parece que o fogo da luta reacendera em ambos um amor ainda vivo, mas que teimava em se fazer de omisso, talvez porque os dois tivessem se habituado ao ramerrão do cotidiano. Quanto à outra parte – Marlene –, esta não tinha mesmo do que se queixar. A decisão do comissário era tão-somente um desejo de cativá-la, conforme ela logo percebeu.

Marlene era muito viva e percebia tudo. Só não percebia por que diabos estava aquele rapazote magrela ali quase encostado a ela, como se quisesse cheirá-la, olhando-a com olhos vidrados.

No dia seguinte a paz voltou a reinar naquele trecho da Avenida Júlio Furtado (Grajaú – Guanabara – Brasil), salvo um ou outro comentário entre vizinhos, pois a bagunça fora muito grande e era natural que provocasse ainda comentários; afora isso, a paz era total e já não havia aquele clima de tensão que aumentara gradativamente, desde que Marlene fora morar ali.

Mesmo assim, Marlene resolveu se mudar. Os acontecimentos deixaram-na muito desgostosa, saíra seu retrato nos jornais; isto lhe parecia uma propaganda negativa para sua carreira no cinema. Não, ela não ficaria mais ali. Já tinha combinado com uma amiga de ficar no seu apartamento no Catete, até que arranjasse outro para si. Um amigo seu, jornalista, aconselhara a mudança o mais breve possível e naquela mesma segunda-feira ela tinha tudo assentado. Os móveis ficariam num guarda-móveis, o telefone seria retirado, ela nem voltaria para providenciar nada disso. Fez mala grande com as coisas que precisaria de momento e, discretamente, deixou o apartamento. O porteiro colocou a mala no carro e ela saiu sem ser notada por ninguém, salvo pelo rapazinho magrela. Quando Marlene dobrou a esquina, deixando o bairro do Grajaú para sempre, lá estava Ismaelzinho parado a contemplá-la de olhar fixo e boca aberta.

Até mesmo Mariana voltara às boas com Arnaldo. Depois de ver a irmã entrar tão resolutamente no apartamento do viúvo, achou que ela também podia freqüentar a casa dele e então desceu com um bife cru para botar no olho roxo de Arnaldo. Ele ficou tão agradecido, ela ficou tão encantada com os agradecimentos dele, que esqueceram o bife, do que se aproveitou a cachorrinha de Arnaldo para almoçar.

161

Mas quem mais se beneficiou com tudo aquilo foi o casal Eugênio-Esperança. Suas últimas horas foram vividas num mar de rosas e – quando chegou a hora do jantar e seu Eugênio chegara com fome – trocaram um beijo longo e ela falou:

– Meu bem, vista o pijaminha e venha jantar, que eu preparei a sopa de camarão que você adora.

Ah... a sopa de camarão. Seu Eugênio era tarado por ela. Tomou um banho rápido, vestiu o pijama e sentou à mesa, gritando para a cozinha.

– Pode tirar o jantar!

– Já vai! – gritou da cozinha a gorda mulher.

E seu Eugênio estava distraído, esperando, quando aconteceu o que ele jamais poderia prever. Seu queixo quase caiu, quando viu D. Esperança entrar na sala com a sopeira, vestindo um short igual ao de Marlene.

Igual em feitio, porque em tamanho era umas dez vezes maior.

Copyright © 2006 Agir
Todos os direitos reservados e protegidos pela Lei 9.610 de 19.02.1998

Projeto gráfico
Angelo Venosa

Revisão
Damião Nascimento

Produção editorial
Felipe Schuery

CIP-Brasil. Catalogação na fonte. Sindicato Nacional dos Editores de Livros, RJ.

P883C
2.ed.

Porto, Sérgio, 1923-1968
  As cariocas / Sérgio Porto – 2.ed. – Rio de Janeiro: Nova Fronteira, 2010.

  ISBN 978.85.209.2483-9
  1. Novela brasileira. I. Título.

CDD 869.93
CDU 821.134.3(81)-3

Todos os direitos reservados à
EDITORA NOVA FRONTEIRA PARTICIPAÇÕES S.A.
Rua Nova Jerusalém, 345 – Bonsucesso – Rio de Janeiro – RJ – CEP 21042-235
Tel.: (21) 3882-8200 Fax: (21) 3882-8212/8313

Este livro foi composto em Baskerville
e impresso pela Ediouro Gráfica
sobre papel pólen soft 70g/m² para a
Editora Nova Fronteira em outubro de 2010.